Finding·God
Our Response to God's Gifts

Encontrando a
Dios

Nuestra respuesta a
los dones de Dios

Barbara F. Campbell, M.Div., D.Min.

James P. Campbell, M.A., D.Min.

LOYOLA PRESS.
UN MINISTERIO JESUITA
A JESUIT MINISTRY

IMPRIMATUR

Conforme al canon 827 del Código de Derecho Canónico, el Reverendísimo Francis J. Kane, Vicario General de la Arquidiócesis de Chicago, ha otorgado el 9 de julio de 2013 aprobación para la publicación. La aprobación para la publicación es una declaración oficial de la autoridad eclesiástica, la cual establece que el material en cuestión carece de errores morales o doctrinales. De lo establecido no se infiere que quienes han otorgado la aprobación están de acuerdo con el contenido, opiniones o expresiones vertidas en el trabajo ni asumen responsabilidad legal alguna relacionada con la publicación.

In accordance with c. 827, permission to publish is granted on March 10, 2011 by Rev. Msgr. John F. Canary, Vicar General of the Archdiocese of Chicago. Permission to publish is an official declaration of ecclesiastical authority that the material is free from doctrinal and moral error. No legal responsibility is assumed by the grant of this permission.

EN CONFORMIDAD / IN CONFORMITY

El Subcomité para el Catecismo de la Conferencia de Obispos Católicos de los Estados Unidos consideró que esta serie catequética, copyright 2015, está en conformidad con el *Catecismo de la Iglesia Católica*.

The Subcommittee on the Catechism, United States Conference of Catholic Bishops, has found this catechetical text, copyright 2013, to be in conformity with the Catechism of the Catholic Church.

Asesores principales / Senior Consultants
Jane Regan, Ph.D.
Richard Hauser, S.J., Ph.D., S.T.L.
Robert Fabing, S.J., D.Min.

Asesores / Advisors
Most Reverend Gordon D. Bennett, S.J., D.D.
George A. Aschenbrenner, S.J., S.T.L.
Paul H. Colloton, O.P., D.Min.
Eugene LaVerdiere, S.S.S., Ph.D., S.T.L.
Gerald Darring, M.A.
Thomas J. McGrath, M.A.

Personal catequético / Catechetical Staff
Santiago Cortés-Sjöberg, M.Div.
Armando Daniel García
Jeanette L. Graham, M.A.
Jean Hopman, O.S.U., M.A.
Ricardo López, Ph.D.
Joseph Paprocki, D.Min.
Feliciano Tapia, M.Div.
Lupita Vital Cruz, M.A.

Diseño de portada / Cover Design: Loyola Press
Ilustración de portada / Cover Illustration: Rafael López
Edición y traducción / Editorial and Translation: Loyola Press, Rainbow Creative Concepts, Inc.
Arte, diseño y producción / Art, Design, and Production: Loyola Press, Rainbow Creative Concepts, Inc., and Think Bookworks

Encontrando a Dios: nuestra respuesta a los dones de Dios es una expresión de la obra de Loyola Press, un ministerio pastoral de la Provincia de Chicago-Detroit de la Compañía de Jesús.

Finding God: Our Response to God's Gifts is an expression of the work of Loyola Press, a ministry of the Chicago-Detroit Province of the Society of Jesus.

ISBN-13: 978-0-8294-3862-8
ISBN-10: 0-8294-3862-9

LOYOLA PRESS.
UN MINISTERIO JESUITA
A JESUIT MINISTRY

3441 N. Ashland Avenue
Chicago, Illinois 60657
(800) 621-1008
www.loyolapress.com

Reconocemos con gratitud a los autores, editores, fotógrafos, museos y agentes por autorizarnos a reproducir el material con derechos de autor que aparecen en esta obra. Loyola Press ha hecho todos los intentos posibles para identificar a los propietarios de los derechos de autor. En caso de alguna omisión, Loyola Press se complacerá en reconocerlos apropiadamente en las ediciones futuras. Los reconocimientos continúan en la página 215.

Grateful acknowledgment is given to authors, publishers, photographers, museums, and agents for permission to reprint the following copyrighted material. Every effort has been made to determine copyright owners. In the case of any omissions, the publisher will be pleased to make suitable acknowledgments in future editions. Acknowledgments continue on page 215.

14 15 16 17 18 19 20 21 Web 10 9 8 7 6 5 4 3 2 1

Al abrir este libro,
me abro
a la presencia de Dios en mi vida.
Cuando permito que
la gracia de Dios me ayude,
veo con verdad,
escucho con perdón
y actúo con bondad.
Gracias, Dios,
por tu presencia en mi vida.

As I open this book,
I open myself to
God's presence in my life.
When I allow
God's grace to help me,
I see with truth,
hear with forgiveness,
and act with kindness.
Thank you, God,
for your presence in my life.

Amén.

Amen.

Índice

GRADO 2

Contents

GRADE 2

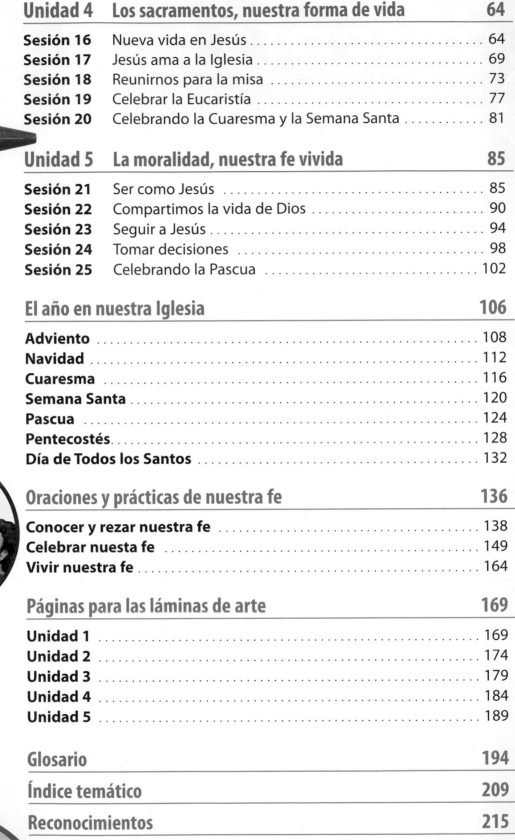

v

Dios, nuestro Creador y Padre

San Isidro Labrador

Isidro vivía en España. Él y su esposa, santa María de la Cabeza, vivían en la granja de un hombre rico. Isidro trabajó toda su vida para ese hombre. Cuidó sus tierras con amor. Mientras trabajaba la tierra, Isidro rezaba.

San Isidro es el santo patrón de los labradores, animales de granja y comunidades de agricultores. ¡También es el santo patrón de los picnics! Celebramos su fiesta el 15 de mayo.

En muchos lugares, tanto los animales de granja como las cosechas son bendecidos en la fiesta de san Isidro.

SESIÓN 1

Dios nos crea

¿Alguna vez has hecho una tarjeta para un amigo o un familiar? ¿Por qué la hiciste? ¿Cómo se sintió la persona que la recibió?

Oración

Dios, ayúdame a saber que tú creaste todas las cosas para que pueda ver lo bueno y maravilloso que eres.

Saint Isidore the Farmer

Isidore lived in Spain. He and his wife, Saint Maria de la Cabeza, lived on a rich man's farm. Isidore worked for this man his whole life. He took care of the man's land with love. Isidore prayed while he worked.

Saint Isidore is the patron saint of farmers, farm animals, and farming communities. He is also the patron saint of picnics! We celebrate his feast day on May 15.

In many places farm animals and crops are blessed on Saint Isidore's feast day.

SESSION 1

God Creates Us

Have you ever made a card for a friend or a family member? Why did you make it? How did it make the person feel?

Prayer

God, help me know that you make all things so that I can see how good and wonderful you are.

Nuestro Dios amoroso

Dios creó el mundo y todo lo que hay en él. Todo lo que Dios crea es bueno.

Dios es Padre, Hijo y Espíritu Santo. A esto se le llama la Trinidad. Dios nos ama y cuida de nosotros. Por eso él siempre está cerca de nosotros.

Leyendo la Palabra de Dios

Todo lo que Dios crea es bueno. Estamos agradecidos por todo lo que Dios nos ha dado. *adaptado de 1 Timoteo 4:4*

Our Loving God

God made the world and everything in it. Everything he creates is good.

God is Father, Son, and Holy Spirit. This is called the Trinity. God loves us and cares for us. That is why he always stays close to us.

Reading God's Word

Everything that God makes is good. We are thankful for all God has given us.

adapted from 1 Timothy 4:4

Bendiciones de Dios

Las personas son la parte más importante de la creación de Dios. Dios nos dio la tierra para vivir en ella, plantas para que nos alimentemos y animales para que nos ayuden. Dios quiere que todas las personas se amen y se cuiden unos a otros y que también cuiden del mundo que él ha creado. Dios quiere que seamos personas **santas**. Él comparte su vida y su amor con nosotros. Podemos ser santos porque Dios nos ama.

Cuidar de la creación de Dios

Piensa en una manera en que puedes cuidar de la creación de Dios. Luego completa la oración.

Puedo cuidar de la creación de Dios _____

_____.

Listos para los sacramentos

Este año te vas a preparar para recibir por primera vez la Sagrada Comunión, el sacramento de la **Eucaristía**. También te vas a preparar para celebrar el **sacramento de la Penitencia y la Reconciliación**. A medida que aprendes acerca de estos sacramentos especiales, recuerda que Dios te ama y está siempre contigo.

VE A LA PÁGINA 169

God's Blessings

People are the most important part of God's creation. God gave us the earth to live on, plants to eat, and animals to help us. God wants all people to love and care for one another and for the world he has created. God wants us to be **holy.** He shares his life and love with us. We can be holy because God loves us.

Caring for God's Creation

Think of a way you can care for God's creation. Then finish the sentence.

I can care for God's creation by _____

_____ .

Ready for the Sacraments

This year you will prepare to receive Holy Communion, the Sacrament of the **Eucharist,** for the first time. You will also get ready to celebrate the **Sacrament of Penance and Reconciliation.** As you learn about these special sacraments, remember God loves you and is always with you.

GO TO PAGE 169

Oración

Dar gloria a Dios

Dios crea todo lo que nos rodea. Nosotros lo alabamos con el Gloria al Padre.

Mientras rezas el Gloria al Padre, piensa en lo mucho que Dios te ama y cuida de ti.

Gloria al Padre

Gloria al Padre
y al Hijo
y al Espíritu Santo.
Como era en el principio,
ahora y siempre,
por los siglos de los siglos.
Amén.

Piensa en las cosas por las que alabamos a Dios. Dale gracias a Dios por crearte. Dale las gracias por amarte.

Dar gracias a Dios por la creación

Recuerda que Dios nos ama y cuida de nosotros y de todo lo que crea. Le damos gloria a Dios por su creación.

Dios nos muestra su amor en la creación

Habla con Dios en tu corazón y dale gracias por su creación. En una hoja de papel, dibuja algo que Dios ha creado que demuestre su amor.

Prayer

Give Glory to God

God makes everything around us. We praise him with the Glory Be to the Father.

As you pray the Glory Be to the Father, think about how much God loves you and cares for you.

Glory Be to the Father

Glory be to the Father,
and to the Son,
and to the Holy Spirit.
As it was in the beginning,
is now, and ever shall be,
world without end.
Amen.

Think about the things for which we praise God. Thank God for creating you. Thank him for loving you.

Thanking God for Creation

Remember that God loves and cares for us and everything he creates. We give God glory for his creation.

God's Creation Shows His Love

Talk to God in your heart and thank him for his creation. On a separate sheet of paper, draw a picture of something that God created that shows his love.

Resumen del tema

Dios creó muchas cosas porque nos ama. Todas son buenas. Dios quiere que cuidemos de su creación.

Palabras que aprendí

Eucaristía
santo
sacramento de la Penitencia y la Reconciliación

Maneras de ser como Jesús

Jesús nos ama a nosotros y a todas las cosas que Dios crea. *Muestra amor y bondad hacia las personas, los animales y la tierra.*

Oración

Gracias, Dios, por todo lo que has creado. Ayúdame a amarte cuidando de tu creación.

Con mi familia

Actividad En familia, caminen por un parque o por una reserva natural. Señalen ejemplos de la creación de Dios. Recen en silencio una oración para dar gracias a Dios por la creación y por el tiempo que están juntos.

Listos para los sacramentos Conversen acerca de los sacramentos que vas a recibir este año.

Oración en familia *Querido Dios, bendice a nuestra familia como parte de tu creación. Ayúdanos a cuidarnos unos a otros y a toda tu creación. Amén.*

Faith Summary

Because he loves us, God made many things. All of them are good. God wants us to take care of his creation.

Words I Learned

Eucharist
holy
Sacrament of Penance and Reconciliation

Ways of Being Like Jesus

Jesus loves us and everything that God makes. *Show love and kindness toward people, animals, and the earth.*

Prayer

Thank you, God, for all you have made. Help me love you by taking care of your creation.

With My Family

Activity Take a family walk at a park or nature preserve. Point out examples of God's creation. Pray a silent prayer of thanks for God's creation and for your time together.

Ready for the Sacraments Talk about the sacraments you will receive this year.

Family Prayer *Dear God, bless our family as part of your creation. Help us care for one another and everything you create. Amen.*

Dios nos da a Jesús

¿Alguna vez recibiste un regalo especial de un amigo o de un familiar? ¿Qué hizo que ese regalo fuera especial?

SESIÓN 2

El don más valioso

Dios nos ha dado muchas cosas. Su don más valioso es su Hijo, Jesús. Dios dio a Jesús al mundo. Jesús quiere ayudarnos a vivir vidas buenas.

Como el Hijo de Dios que se hizo hombre, Jesús nos salva de nuestros pecados. Él puede ayudarnos para que lleguemos a vivir con Dios en el cielo.

Oración

Querido Dios, ayúdame a recordar siempre los dones que me has dado.

God Gives Us Jesus

Did you ever receive a special gift from a friend or family member? What made the gift special?

Most Precious Gift

God has given us many things. His most precious gift is his Son, Jesus. God gave Jesus to the whole world. Jesus wants to help us live good lives.

As God's Son who became man, Jesus saves us from our sins. He can help us live with God in Heaven one day.

Prayer

Dear God, help me always remember the gifts you have given me.

El Santísimo Sacramento

Jesús está presente entre nosotros en el **Santísimo Sacramento**. El Santísimo Sacramento es el nombre que le damos a la Sagrada Eucaristía después de la **consagración** en la misa. En un lugar especial cerca del altar de tu iglesia, verás un **tabernáculo**. Es ahí donde se guarda el Santísimo Sacramento después de la misa. Como señal de que creemos que Jesús está entre nosotros, hacemos una **genuflexión** para honrar al Santísimo Sacramento dentro del tabernáculo.

Hacemos una genuflexión

Como católicos hacemos la genuflexión en la iglesia doblando una rodilla hasta tocar el suelo y bendiciéndonos con la Señal de la Cruz. ¿A quién honramos cuando hacemos la genuflexión frente al tabernáculo?

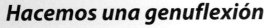

Listos para los sacramentos

Prepararse para recibir los sacramentos de la Eucaristía y de la Reconciliación es como prepararse para un viaje importante. Debes prepararte, y la meta del viaje es acercarte más a Dios. Lo bueno es que Dios está contigo en cada paso que das.

VE A LA PÁGINA 170

The Blessed Sacrament

Jesus is present among us in the **Blessed Sacrament.** The Blessed Sacrament is the name given to the Holy Eucharist after the **consecration** at Mass. In a special place near your church altar, you will see a **tabernacle.** This is where the Blessed Sacrament is kept after Mass. As a sign of our belief that Jesus is with us, we **genuflect** to honor the Blessed Sacrament inside the tabernacle.

We Genuflect

As Catholics we genuflect in church by lowering one knee to the ground and blessing ourselves with the Sign of the Cross. Who do we honor when we genuflect before the tabernacle?

_____

Ready for the Sacraments

Preparing to receive the Sacraments of the Eucharist and of Reconciliation is like getting ready to take an important trip. You do have to prepare, and the goal of the journey is to grow closer to God. The good news is that God is with you every step of the way.

GO TO PAGE 170

Oración

Jesús ha nacido

Imagina que estás con María y José en el establo donde nació Jesús.

Sostienes a Jesús en tus brazos, con cariño y con cuidado. Sabes que puedes decirle lo que quieras. ¿Qué le dices al oído?

Jesús te ama. Tú escuchas con tu corazón lo que él quiere que sepas. Están felices juntos.

Otro nombre

Jesús también es llamado **Emanuel** y Salvador. *Emanuel* significa "Dios con nosotros". *Salvador* significa "aquel que salva".

Nombres de Jesús

Jesús es conocido por muchos nombres. Escoge una palabra del recuadro para completar el significado de cada uno.

salva   con

Nombres y significado
Emanuel = Dios _____ nosotros
Salvador = aquel que nos _____

Prayer

Jesus Is Born

Imagine you are with Joseph and Mary in the stable where Jesus was born.

You are holding Jesus carefully and gently, close to your heart. You know you can tell him whatever you would like. What do you whisper to him?

Jesus loves you. You listen with your heart to what he wants you to know. You are happy together.

Another Name

Jesus is also called **Emmanuel** and Savior. *Emmanuel* means "God with us." *Savior* means "one who saves."

Names for Jesus

Jesus is known by many names. Choose a word from the box to complete each meaning.

> saves   with

Name and Meaning
Emmanuel = God _____ us
Savior = one who _____ us

Resumen del tema

Porque Dios nos tiene un amor tan grande, envió a su Hijo para que se hiciera hombre.

Palabras que aprendí

Santísimo Sacramento
consagración
Emanuel
genuflexión
Salvador*
tabernáculo

Maneras de ser como Jesús

Jesús vino a nosotros para mostrarnos el amor de Dios. *Haz algo bueno por un amigo hoy.*

¡Gracias!

Oración

Gracias, Dios, por enviarnos a Jesús.
Por favor, muéstrame cómo puedo ser más como él.

Con mi familia

Actividad Haz una tarjeta de agradecimiento para un familiar que haya actuado como Jesús.

Listos para los sacramentos Haz una línea cronológica de espiritualidad en tu familia. Anota en ella las fechas en que tus familiares recibieron los sacramentos, así como momentos especiales en que hayan sentido la gracia de Dios.

Oración en familia *Querido Dios, te damos gracias por tu Hijo, Jesús. Ayúdanos a mostrar bondad, amor y compasión, como lo hizo Jesús. Amén.*

* Esta palabra se enseña con la lámina de arte. Mira la página 170.

Faith Summary

Because of God's great love for us, he sent his Son to become man.

Words I Learned

Blessed Sacrament
consecration
Emmanuel
genuflect
Savior*
tabernacle

Ways of Being Like Jesus

Jesus came to show us God's love. *Do a kind deed for a friend today.*

Prayer

Thank you, God, for sending us Jesus.
Please show me how to be more like him.

With My Family

Activity Make a thank-you card for a family member who has been like Jesus.

Ready for the Sacraments Make a Family Spirituality Time Line. List when family members received sacraments, as well as special moments when they felt God's grace.

Family Prayer Dear God, we thank you for your Son, Jesus. Help us show kindness, love, and compassion, just as Jesus did. Amen.

* This word is taught with the Art Print. See page 170.

Dios es nuestro Padre

Piensa en tu familia, tu casa y los alimentos que comen. ¿De qué manera Dios cuida de ti?

SESIÓN 3

Dios cuida de nosotros

Jesús llamaba a Dios *Padre*, como muchos niños llaman a sus padres *papá*. Jesús nos recuerda que Dios es también nuestro Padre. Dios nos ama y quiere que seamos felices. Él quiere lo mejor para nosotros.

Dios le da a las aves el alimento que necesitan para vivir. Las flores crecen bellas y fuertes con el cuidado de Dios.

Oración

Querido Jesús, ayúdame a conocer y amar a Dios nuestro Padre como lo haces tú.

God Is Our Father

Think about your family, your home, and the food you eat. In what ways does God take care of you?

God Cares for Us

Jesus called God *Father* just as some children call their fathers *Dad*. Jesus reminds us that God is our Father too. God loves us and wants us to be happy. He wants the best for us.

God gives birds the food they need to live. Flowers grow strong and lovely with God's care.

Prayer

Dear Jesus, help me know and love God our Father as you do.

Alabar a Dios

Cuando hacemos una **petición** a Dios en una oración, le pedimos lo que necesitamos. Rezamos a Dios para que nos ayude.

También **alabamos** a Dios en nuestras oraciones. Le decimos lo maravilloso que es.

Dios es nuestro Creador y Padre. Nosotros somos sus hijos. Él cuida de todas las personas del mundo porque es el Padre de todos.

Jesús fue un buen Hijo. Él obedeció a su Padre. Jesús confiaba en Dios. Él nos recuerda que confiemos en Dios también.

Listos para los sacramentos

Podemos recibir los sacramentos de la Eucaristía y de la Reconciliación porque hemos sido bautizados. A través del Bautismo pertenecemos a la Iglesia como hijos de Dios. Dios comparte su vida con nosotros a través de todos los sacramentos.

VE A LA
PÁGINA 171

Praising God

When we **petition** God in prayer, we ask him for what we need. We pray to God to help us.

We also **praise** God in our prayers. We tell him how wonderful he is.

God is our Creator and Father. We are his children. He cares for all people of the world because he is everyone's Father.

Jesus was a good Son. He listened to his Father. Jesus had trust in God. He reminds us to trust God too.

Ready for the Sacraments

We are able to receive the Sacraments of the Eucharist and of Reconciliation because we have been baptized. Through Baptism we belong to the Church as children of God. Through all the sacraments, God shares his life with us.

GO TO PAGE 171

Oración

Jesús nos enseña a rezar

En la oración hablamos y escuchamos a Dios. Jesús nos dio las palabras del Padrenuestro. Cuando rezamos el Padrenuestro alabamos a Dios y le pedimos por lo que necesitamos. Mientras rezas, piensa en lo mucho que Dios nuestro Padre nos ama.

Padrenuestro

Padre nuestro que estás en el cielo,
santificado sea tu Nombre;
venga a nosotros tu Reino;
hágase tu voluntad
en la tierra como en el cielo.
Danos hoy
nuestro pan de cada día;
perdona nuestras ofensas,
como también nosotros perdonamos
a los que nos ofenden;
no nos dejes caer en la tentación,
y líbranos del mal.
Amén.

Alábalo, alábalo

Rezar el Padrenuestro es una manera de alabar a Dios y decirle cuáles son nuestras necesidades. Piensa en las oraciones que has aprendido. En una hoja de papel, dibújate alabando a Dios.

Prayer

Jesus Teaches Us to Pray

In prayer we talk to and listen to God. Jesus gave us the words to the Lord's Prayer, or the Our Father. When we pray the Lord's Prayer, we praise God and ask him for what we need. As you pray, keep in mind how much God our Father loves us.

Lord's Prayer

Our Father, who art in heaven,
hallowed be thy name;
thy kingdom come,
thy will be done
on earth as it is in heaven.
Give us this day our daily bread,
and forgive us our trespasses,
as we forgive those who trespass
against us;
and lead us not into temptation,
but deliver us from evil.
Amen.

Praise Him, Praise Him

One way we can praise God and tell him our needs is by praying the Lord's Prayer. Think about the prayers you have learned. On a separate sheet of paper, draw a picture of yourself praising God.

Resumen del tema

Jesús nos ayuda a aprender que Dios es nuestro Padre amoroso y está cerca de nosotros. Jesús nos dice que confiemos en Dios y que dejemos nuestros problemas en sus manos.

Palabras que aprendí

petición
alabar

Maneras de ser como Jesús

Jesús fue un buen Hijo de Dios Padre. Él confiaba y obedecía a su Padre. *Obedece a tus padres y háblales de las cosas que te preocupan.*

Oración

Gracias, Jesús, por enseñarme a confiar en Dios y a poner mis preocupaciones en sus manos.

Con mi familia

Actividad En familia, túrnense para taparse los ojos y guiarse unos a otros por la casa. Hablen acerca de las similitudes entre confiar en sus guías y confiar en Dios.

Listos para los sacramentos Habla sobre tu Bautismo, incluyendo la celebración, los padrinos y cómo los que estaban presentes te dieron la bienvenida a tu familia y a la familia de Dios.

Oración en familia *Querido Dios, bendice a nuestra familia. Ayúdanos a confiar siempre en ti.*

Faith Summary

Jesus helps us learn that God is our loving Father and is close to us. Jesus tells us to trust in God and place our cares in his hands.

Words I Learned

petition

praise

Ways of Being Like Jesus

Jesus was a good Son to God the Father. He trusted and obeyed his Father. *Listen to your parents and trust them with your cares.*

Prayer

Thank you, Jesus, for teaching me to trust in God and to place my cares in his hands.

With My Family

Activity As a family, take turns blindfolding and guiding one another around your house. Discuss similarities in trusting your guides and in trusting God.

Ready for the Sacraments Talk about your Baptism, including your godparents, the celebration, and how the people present welcomed you to your family and the family of God.

Family Prayer *Dear God, bless our family. Help us to trust in you always.*

La vida que Dios quiere para nosotros

Hemos recibido el don de la vida. ¿Cómo has celebrado tu vida últimamente?

Simeón de Jerusalén

Había un hombre llamado Simeón que vivía en Jerusalén.

Simeón amaba a Dios y escuchaba al Espíritu Santo. El Espíritu Santo le prometió que no moriría hasta que hubiese visto al **Mesías**.

Un día Simeón estaba en el **Templo**, donde los judíos adoraban a Dios. María y José llegaron al Templo. Simeón vio a María que cargaba a su bebé Jesús.

Guiado por la gracia del Espíritu Santo, Simeón supo que Jesús era el Salvador.

Simeón tomó a Jesús en sus brazos. Alabó a Dios y dijo: "Ahora Señor, puedes dejar que tu siervo se vaya en paz. Mis ojos han visto al Salvador. Él es aquel que has prometido a todos los pueblos".

adaptado de Lucas 2:25–32

Oración

Querido Dios, acércame a tu Espíritu Santo.

God's Life for Us

We have received the gift of life. How have you celebrated your life lately?

Simeon of Jerusalem

There was a man named Simeon who lived in Jerusalem.

Simeon loved God. He listened to the Holy Spirit. The Holy Spirit promised Simeon he would not die until he had seen the **Messiah.**

One day Simeon was in the **Temple,** where Jewish people worshiped God. Mary and Joseph came to the Temple. Simeon saw Mary carrying the baby Jesus.

Guided by the grace of the Holy Spirit, Simeon knew Jesus was the Savior.

Simeon took Jesus into his arms. He praised God and said, "Now, Master, you may let your servant go in peace. My eyes have seen the Savior. He is the one you have promised to all people."

adapted from Luke 2:25–32

Prayer

Dear God, bring me closer to your Holy Spirit.

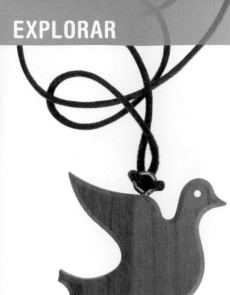

El Espíritu Santo

El Espíritu Santo nos ayuda a saber que Dios está siempre con nosotros. El Espíritu Santo nos guía, como guió a Simeón.

El Espíritu Santo también nos da **fe** en Dios. Al escuchar al Espíritu Santo aprendemos a creer y a confiar en Dios. Aprendemos a cuidar de nosotros mismos y de otros como Dios quiere que lo hagamos.

Aprender a cuidar de los demás

¿De qué manera puedes cuidar de las otras personas? Completa la frase.

Puedo cuidar de los demás al _____

_____

_____.

Listos para los sacramentos

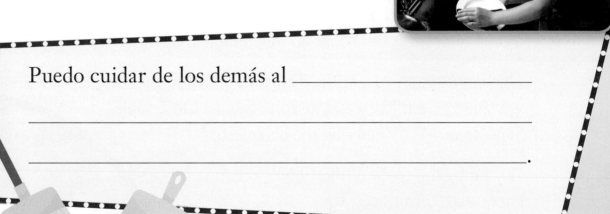

Ten presente que la gracia de Dios ya obra en ti, ayudando a prepararte para recibir los sacramentos de la Reconciliación y de la Eucaristía. Esta gracia te da la fuerza para hacer lo que debes aun cuando sea difícil. Te da alegría en la amistad y un deseo creciente de amar a Dios cada día más.

VE A LA PÁGINA 172

The Holy Spirit

The Holy Spirit helps us know God is always with us. The Holy Spirit guides us, as he guided Simeon.

The Holy Spirit also gives us **faith** in God. By listening to the Holy Spirit, we learn to believe and trust in God. We learn to care for ourselves and others as God wants us to.

Learning to Care for Others

What is one way that you can care for others? Finish the sentence.

I can care for others by _____

_____

_____.

Ready for the Sacraments

Know God's grace is already working in you to help you prepare to receive the Sacraments of Reconciliation and of the Eucharist. This grace gives you the strength to do the right thing even when it is difficult. It gives you joy in friendship and a growing desire to love God more every day.

GO TO PAGE 172

Oración

Espíritu Santo, sé nuestra guía

El Espíritu Santo está en tu corazón esperando para guiarte. Pide ayuda al Espíritu Santo rezando esta oración.

Oración al Espíritu Santo

*Ven Espíritu Santo, llena los
    corazones de tus fieles.
Y enciende en ellos el fuego de tu amor.
Envía tu Espíritu y serán creadas
    todas las cosas.
Y renovarás la faz de la tierra.*

Da gracias al Espíritu Santo por ser tu guía y llenar de amor tu corazón.

Espíritu Santo, guíame

Escucha al Espíritu Santo en tu corazón. En una hoja de papel aparte, haz un dibujo que muestre cómo el Espíritu Santo te guía por el buen camino.

Prayer

Holy Spirit, Be Our Guide

The Holy Spirit is in your heart, waiting to guide you. Ask the Holy Spirit for help by praying this prayer.

Prayer to the Holy Spirit

Come, Holy Spirit, fill the hearts of
your faithful.
And kindle in them the fire of
your love.
Send forth your Spirit and they
shall be created.
And you will renew the face of
the earth.

Thank the Holy Spirit for being your guide and filling your heart with love.

Holy Spirit, Guide Me

Listen to the Holy Spirit in your heart. On a separate sheet of paper, draw a picture that shows how the Holy Spirit guides you in the right direction.

Resumen del tema

El Espíritu Santo está presente en nuestra vida. Cuando escuchamos al Espíritu Santo, reconocemos a Dios en las cosas cotidianas.

Palabras que aprendí

fe
Mesías
Templo

Maneras de ser como Jesús

Jesús sabía que Dios está a nuestro alrededor en las cosas corrientes. *Busca a Jesús en el mundo que te rodea.*

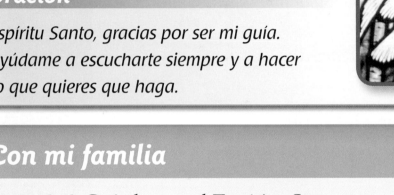

Oración

Espíritu Santo, gracias por ser mi guía. Ayúdame a escucharte siempre y a hacer lo que quieres que haga.

Con mi familia

Actividad Guiado por el Espíritu Santo, muestra bondad y amor hacia otras personas. Ayuda a los vecinos que lo necesiten, barriendo las hojas de su jardín, llevándoles una comida, enviándoles tarjetas o visitándolos.

Listos para los sacramentos En familia, compartan maneras en que creen que Dios les ayuda en la casa, en el trabajo, en la escuela o cuando juegan.

Oración en familia Querido Dios, *ayúdanos a mostrarnos bondad unos a otros. Ayúdanos a amar a los demás como lo haces tú. Amén.*

Faith Summary

The Holy Spirit is present in our lives. When we listen to the Spirit, we recognize God in ordinary things.

Words I Learned	**Ways of Being Like Jesus**
faith Messiah Temple	Jesus knew that God is all around us in ordinary things. *Look for God in the world around you.*

Prayer

Holy Spirit, thank you for being my guide. Help me always listen to you and do what you want me to do.

With My Family

Activity Guided by the Holy Spirit, show goodness and love to others. Help neighbors in need by raking their leaves, bringing them a meal, making them cards, or visiting them.

Ready for the Sacraments As a family, share ways you feel God helping you at home, at work, at school, and at play.

Family Prayer *Dear God, help us to show goodness to one another. Help us to love others as you do. Amen.*

Celebrando el Tiempo Ordinario

La Iglesia lleva un calendario para señalar los diferentes tiempos litúrgicos y celebrar los momentos especiales en la vida de Jesús. Celebrar estos tiempos litúrgicos nos ayuda a pensar en el amor de Dios en nuestra vida.

El Tiempo Ordinario se celebra dos veces durante el año litúrgico: desde el tiempo de Navidad hasta la Cuaresma y luego desde el tiempo de Pascua hasta el Adviento.

Oración

Querido Jesús, quiero acercarme más a ti durante el Tiempo Ordinario. Ayúdame a crecer en tu amor.

Celebrating Ordinary Time

The Church keeps a calendar to mark different seasons and special times in Jesus' life. Celebrating these seasons helps us think about God's love in our own lives.

Ordinary Time is celebrated two times during each liturgical year—between the Christmas season and Lent and between the Easter season and Advent.

Prayer

Dear Jesus, I want to grow closer to you during Ordinary Time. Help me to grow in your love.

Jesús nos alimenta

El Tiempo Ordinario es un período para que Jesucristo, **Pan de Vida,** nos alimente.

Cada vez que recibimos el Cuerpo y la Sangre de Cristo en la misa nos llenamos con su gracia.

¿Cómo puedo crecer?

Marca con una X la respuesta a cada pregunta.

1. ¿Cómo puedo crecer en mi conocimiento de Jesús?

   _____ Puedo jugar con mis amigos.

   _____ Puedo rezar y leer mi Biblia.

2. ¿Cómo puedo crecer en mi amor por Jesús?

   _____ Puedo montar mi bicicleta por la cuadra.

   _____ Puedo ayudar a alguien que esté enfermo o triste.

Leyendo la Palabra de Dios

"Yo soy el pan de la vida".

Juan 6:48

Jesus Feeds Us

Ordinary Time is a time to be fed by Jesus Christ, the **Bread of Life.**

We are filled with grace each time we receive the Body and Blood of Christ at Mass.

How Can I Grow?

Put an X on the line to answer each question.

1. How can I grow in my knowledge of Jesus?

   _____ I can play with my friends.

   _____ I can pray and read my Bible.

2. How can I grow in my love for Jesus?

   _____ I can ride my bike around the block.

   _____ I can help someone who is sick or sad.

Reading God's Word

"I am the bread of life."

John 6:48

La misa durante el Tiempo Ordinario

Fíjate en cómo los miembros de tu parroquia van en procesión para recibir la Sagrada Comunión. ¿Se sienten felices? ¿Los ves rezando? ¿Parecen llenos de paz? Piensa en cómo se deben de sentir al recibir a Jesús en la Sagrada Comunión.

Lo que vivimos

En la misa durante el Tiempo Ordinario, las vestimentas de los sacerdotes son de color verde. La iglesia con frecuencia se decora con plantas y flores.

Colorea este dibujo de verde donde aparecen los puntos. Colorea el resto con los colores que tú quieras.

Listos para los sacramentos

Los sacramentos nos permiten encontrar a Dios tal y como somos. En ellos se usan objetos comunes como el agua (para el Bautismo), el pan (para la Eucaristía) o acciones como la bendición (para la Reconciliación) para mostrar que Dios quiere alimentarnos, sanarnos y liberarnos del pecado. No tenemos que viajar hasta el fin del mundo para descubrir este gran tesoro. En los sacramentos Dios viene a encontrarse con nosotros y a estar con nosotros.

VE A LA PÁGINA 173

Mass During Ordinary Time

Watch as parish members process to Holy Communion. Are they joyful? Prayerful? Filled with peace? Think about how they might feel receiving Jesus in Holy Communion.

What We Experience

At Mass during Ordinary Time, the priest wears green vestments. Often the church is decorated with plants and flowers.

Color the picture green where it's dotted and fill in the rest of the picture with your choice of colors.

Ready for the Sacraments

Sacraments allow us to meet God as we are. They use ordinary objects or actions like water (for Baptism), bread (for the Eucharist), and a blessing (for Reconciliation) to show God wants to feed us, heal us, and free us from sin. We don't have to travel to the ends of the earth for such a great treasure. In the sacraments God comes to meet us and be with us.

GO TO PAGE 173

Resumen del tema

El Tiempo Ordinario se celebra dos veces durante cada año litúrgico. Es un momento para ser alimentados por Jesús, el Pan de Vida.

Palabras que aprendí

Pan de Vida
casulla*

Maneras de ser como Jesús

Jesús nos ama y cuida de todos. *Muestra bondad a los demás, especialmente cuando los otros no son bondadosos.*

Oración

Querido Jesús, gracias por el don de tu amor en la Sagrada Comunión. Ayúdame a amar como lo haces tú.

Con mi familia

Actividad Durante la misa fíjate en las vestiduras verdes que lleva el sacerdote. Hablen sobre cómo la Iglesia celebra el Tiempo Ordinario.

Listos para los sacramentos Pide a miembros de tu familia que dibujen cruces en notas adhesivas y que las coloquen en lugares de la casa donde sientan la presencia de Dios. Hablen sobre estos lugares especiales.

Oración en familia Invita a tu familia a usar el Tiempo Ordinario para crecer juntos en la fe. Hagan un diario de oración para oraciones o pedidos especiales.

* Esta palabra se enseña con la lámina de arte. Mira la página 173.

Faith Summary

Ordinary Time is celebrated two times during each liturgical year. It is a time to be fed by Jesus, the Bread of Life.

Words I Learned

Bread of Life
chasuble*

Ways of Being Like Jesus

Jesus loves and cares for everyone. *Show kindness to everyone, especially when others are unkind.*

Prayer

Dear Jesus, thank you for the gift of your love in Holy Communion. Help me to love like you.

With My Family

Activity During Mass watch for the priest's green vestments. Talk about how the Church celebrates Ordinary Time.

Ready for the Sacraments Ask family members to draw crosses on sticky notes and place them where they feel God's presence in your home. Discuss these special places.

Family Prayer Invite your family to use Ordinary Time to grow in faith together by making a prayer journal for special prayer intentions or requests.

* This word is taught with the Art Print. See page 173.

Jesús, nuestro Señor y Salvador

Santa Ana y san Joaquín

María estaba entregada a Dios. Obedeció a Dios y se convirtió en la Madre de Jesús. Su corazón estaba abierto a Dios gracias a su fe y a la fe de sus padres, Ana y Joaquín.

Santa Ana es la santa patrona de las madres. También es la patrona de las mujeres embarazadas. San Joaquín es el santo patrón de los padres.

SESIÓN 6

Jesús es fiel

¿Cómo obedeces a tus padres?
¿En qué los ayudas?

Oración

Jesús, Hijo de Dios, dame la gracia de amar a Dios y serle fiel.

Jesus, Our Lord and Savior

Saint Anne and Saint Joachim

Mary was devoted to God. She listened to God and became the Mother of Jesus. She was open to God because of her faith and the faith of her parents, Anne and Joachim.

Saint Anne is the patron saint of mothers. She is also the patron saint of women who are expecting babies. Saint Joachim is the patron saint of fathers.

SESSION 6

Jesus Is Faithful

How do you obey your parents? What do you help them with?

Prayer

Jesus, Son of God, give me the grace to love God and to be faithful to him.

Las reglas especiales de Dios

Jesús, María y José practicaban la fe judía. Aceptaban los **Diez Mandamientos** como las reglas de Dios y los obedecían. Como católicos nosotros también seguimos los Diez Mandamientos. Cuando obedecemos los mandamientos seguimos a Jesús.

Primer Mandamiento: Yo soy el Señor tu Dios. Amarás a Dios sobre todas las cosas.

Te adoraré solo a ti Señor, sobre todas las personas y cosas.

Segundo Mandamiento: No tomarás el nombre de Dios en vano.

Pronunciaré tu nombre siempre con respeto, nunca con ira u odio.

Tercer Mandamiento: Santificarás las fiestas.

Iré a la Iglesia los domingos y celebraré la Eucaristía.

Cuarto Mandamiento: Honrarás a tu padre y a tu madre.

Respetaré y obedeceré a mis padres, abuelos y maestros.

Quinto Mandamiento: Tratarás toda vida humana con respeto.

Cuidaré de mi vida y de la vida de las otras personas. No le haré daño a nadie ni a mí mismo.

(Continúa en la página 24).

God's Special Rules

Jesus, Mary, and Joseph were followers of the Jewish faith. They accepted the **Ten Commandments** as God's rules and obeyed them. As Catholics we also follow the Ten Commandments. We follow Jesus when we obey the Commandments.

First Commandment: I am your God; love nothing more than me.

I will worship you alone, God, above all other people and things.

Second Commandment: Use God's name with respect.

I will speak your name with respect only, never in anger or hate.

Third Commandment: Keep the Lord's Day holy.

I will go to church on Sundays and celebrate the Eucharist.

Fourth Commandment: Honor and obey your parents.

I will honor and obey my parents, grandparents, and teachers.

Fifth Commandment: Treat all human life with respect.

I will care for my life and the lives of other people. I will not harm myself or others.

(Continue to page 24.)

ser feliz

Sexto Mandamiento: Respetarás el matrimonio.

Rezaré por las parejas casadas para que siempre se traten con amor.

Séptimo Mandamiento: Respetarás la propiedad de otros.

No robaré, engañaré ni tomaré cosas de los demás sin permiso.

Octavo Mandamiento: Dirás siempre la verdad.

Seré honesto y sincero. No mentiré.

Noveno Mandamiento: Respetarás a tus vecinos y a tus amigos.

No hablaré mal de nadie. Trataré a los demás como lo haría Jesús.

Décimo Mandamiento: Serás feliz con lo que tienes.

Agradeceré lo que tengo porque viene de Dios. No envidiaré lo que tienen otras personas.

adaptado de Éxodo 20:1–17

Listos para los sacramentos

Jesús nos enseñó con su ejemplo que podemos confiar en Dios su Padre. Aun cuando tuvo más miedo, Jesús confió en que Dios, su Padre, estaría siempre a su lado. Jesús dijo que es lo mismo para nosotros. Dios, nuestro Padre, nos ama y siempre cuidará de nosotros, no importa lo que hagamos ni adonde vayamos. Él siempre nos perdona y nos recibe.

VE A LA PÁGINA 174

be happy

Sixth Commandment: Respect married life.

I will pray for married people to treat each other lovingly.

Seventh Commandment: Respect what belongs to others.

I will not steal, cheat, or take things without permission.

Eighth Commandment: Tell the truth.

I will be honest and truthful. I will not lie.

Ninth Commandment: Respect your neighbors and your friends.

I will not talk about anyone in a mean way. I will treat everyone as Jesus would.

Tenth Commandment: Be happy with what you have.

I will appreciate the gifts God has given me. I will not be jealous of other people.

adapted from Exodus 20:1–17

Ready for the Sacraments

Jesus taught us by his example that we can trust God his Father. Even when he was most afraid, Jesus trusted that God his Father would always be there for him. Jesus said the same is true for us. God our Father loves us and will always care for us no matter where we go or what we do. He always forgives us and welcomes us back.

GO TO PAGE 174

Oración

Tiempo con Dios

Jesús se sentía en casa cuando estaba en el Templo. Ese era su lugar especial para adorar a Dios Padre.

Tú también tienes un lugar especial para adorar a Dios Padre. La próxima vez que vayas a la iglesia, haz que ese sea el lugar especial para dedicar un tiempo a estar con Dios nuestro Padre. ¡Imagina lo feliz que él se siente de estar contigo!

Da gracias a Dios por ser su hijo. Descansa en presencia de tu Padre celestial.

Jesús, el buen Hijo

Jesús sabía que debía obedecer a sus padres y no causarles problemas ni preocupaciones. Por eso hacía lo que le pedían. Pide a Jesús que te ayude a obedecer a tus padres.

En la iglesia

Usa las palabras del recuadro para completar las oraciones.

> obedecer   especial   iglesia

1. En la _____ rezamos a Dios.

2. La iglesia es un lugar _____ donde podemos hablar tranquilos con Dios.

3. Podemos pedir a Dios que nos ayude a _____ a nuestros padres y a seguir los Diez Mandamientos.

obedecer

Prayer

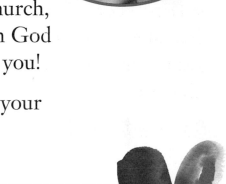

Time with God

Jesus felt at home in the Temple. This was the special place where he could worship God the Father.

You have a special place where you can worship God the Father too. The next time you go to church, make this your special time and place to be with God our Father. Imagine how happy he is to be with you!

Thank God that you are his child. Be still with your heavenly Father.

Jesus the Good Son

Jesus knew he should obey his parents and not cause them to worry. That is why he did as they asked. Ask Jesus to help you obey your parents.

At Church

Use the words in the box to complete the sentences.

> obey   special   church

1. At _church_ we pray to God.

2. Church is a _special_ place where we can talk quietly with God.

3. We may ask God to help us _obey_ our parents and follow the Ten Commandments.

Resumen del tema

Jesús obedecía a Dios y seguía los Diez Mandamientos. Los Mandamientos nos ayudan a amar a Dios y a las personas.

Palabras que aprendí

Diez Mandamientos

Maneras de ser como Jesús

Jesús honraba a sus padres. *Honra a tus padres siendo obediente y ayudándoles.*

Oración

Gracias, Dios, por darnos tus Mandamientos. Ayúdame a seguirlos como lo hizo Jesús.

Con mi familia

Actividad Muestra amor como te lo muestran a ti. Cuando un familiar haga algo bueno por ti, haz tú algo bueno por otro miembro de tu familia.

Listos para los sacramentos Confiamos en que nuestras familias estarán siempre a nuestro lado. Pide a miembros de tu familia que completen esta frase: "Confío en ti porque…". Da gracias a Dios por tu familia.

Oración en familia Querido Dios, da a nuestra familia fortaleza para seguir tus Mandamientos y amar como lo hiciste tú.

Faith Summary

Jesus listened to God and followed the Ten Commandments. The Commandments help us love God and others.

Words I Learned

Ten Commandments

Ways of Being Like Jesus

Jesus honored his parents. *Honor your parents by obeying and helping them.*

Prayer

Thank you, God, for giving us your Commandments. Help me follow them as Jesus did.

With My Family

Activity Show love by passing it on. When a family member does something nice for you, do something nice for another family member.

Ready for the Sacraments We trust that our families are there for us. Have family members finish the sentence "I trust you because . . ." Thank God for your family.

Family Prayer Dear God, give our family the strength to follow your Commandments and love as you did.

Jesús nos salva

¿Qué cosas buenas has hecho por tu familia? ¿Qué cosas buenas ha hecho tu familia por ti?

SESIÓN 7

Jesús cuida de todos

Jesús siguió a Dios, obedeció a María y a José y ayudó a las personas que lo necesitaban. Jesús dijo a las personas lo mucho que Dios las amaba. Jesús sintió un amor especial por los enfermos. Al sanar a los enfermos Jesús mostró el amor que Dios siente por ellos.

Pero algunas personas se enojaron con Jesús. Lo condenaron a morir en la cruz.

Cuando Jesús murió en la cruz todos pensaron que ese era el final de su vida. Pero Dios resucitó a Jesús de entre los muertos.

Oración

Jesús, mi amigo, acompáñame mientras aprendo a seguir tu ejemplo de amor y bondad.

Jesus Saves Us

What are some good things you have done for your family? What good things has your family done for you?

Jesus Cares for Everybody

Jesus followed God, obeyed Mary and Joseph, and helped people in need. Jesus told people how much God loved them. Jesus had a special love for those who were sick. He showed God's love for them by healing them.

But some people became angry with Jesus. They put him to death on a cross.

When Jesus died on the cross, everybody thought it was the end of his life. But God raised Jesus from the dead.

Prayer

Jesus, my friend, walk with me as I learn to follow your example of love and goodness.

Jesús vive

Ahora Jesús está vivo en el cielo. Él está también con nosotros, ayudándonos y cuidándonos. Jesús quiere que amemos a los demás como él nos ama.

Conocer el amor de Jesús

¿Cómo puedes seguir el ejemplo del amor de Jesús? ¿Cómo puedes cuidar de las personas que te rodean?

Escribe tus ideas en estas líneas.

_____

_____

_____

_____

_____

_____

Listos para los sacramentos

Cuando hemos obrado mal o sido egoístas queremos mantenerlo en secreto. Adán y Eva intentaron esconderse de Dios después de desobedecer su voluntad. Pero es importante decir la verdad, a nosotros mismos y a Dios. En el sacramento de la Reconciliación ya no nos escondemos más de Dios.

VE A LA PÁGINA 175

Jesus Is Alive

Now Jesus is alive in Heaven. He is also with us, helping us and caring for us. He wants us to love others as he loves us.

Knowing Jesus' Love

How can you follow Jesus' example of love? How can you care for the people around you?

Write your ideas on the lines below.

How can I follow jesus' by helping People. By being nice to them
.

Ready for the Sacraments

When we have done something wrong or selfish, we might want to keep it a secret. Adam and Eve tried to hide from God after they disobeyed his wishes. But it is important to tell the truth to ourselves and to God. In the Sacrament of Reconciliation, we no longer hide from God.

GO TO PAGE 175

Oración

Ayudar a los necesitados

Las historias de Jesús sanando a los enfermos nos muestran que debemos ayudar a las personas necesitadas.

Reza a Jesús en silencio. Pídele que te muestre maneras de cuidar a los necesitados. Dile cómo ayudarás a alguien en tu familia, iglesia, escuela o vecindario.

Cuidar de los demás

Jesús quiere que cuidemos de los necesitados. Como Jesús, compartimos el amor de Dios cuando mostramos bondad, ofrecemos nuestra ayuda o dedicamos tiempo a los demás.

Escribe una **J** en la línea que muestre cómo puedes cuidar de otras personas como Jesús lo haría.

1. Un amigo se está mojando en la lluvia porque no lleva paraguas.

   _____ Compartes tu paraguas.

   _____ Das la espalda y te vas.

2. Tu papá está arreglando la puerta de tu casa.

   _____ Juegas videojuegos.

   _____ Le pasas las herramientas a tu papá.

3. Un compañero de clase se lastima en el área de juegos.

   _____ Haces como que no te diste cuenta.

   _____ Buscas ayuda para tu compañero.

Prayer

Helping People in Need

The stories of Jesus healing people who were sick show us that we should help people in need.

Silently pray to Jesus. Ask him to show you ways to care for those in need. Tell him how you will help someone in your family, church, school, or neighborhood.

Caring for Others

Jesus wants us to care for people in need. Like Jesus, we share God's love when we show kindness, offer help, or take time for others.

Write a **J** on the line that shows how you can care for others like Jesus.

1. A friend is caught in the rain with no umbrella.

   ___✓___ Share your umbrella.

   _____ Turn your back and walk away.

2. Your father is fixing the front door at home.

   _____ Play video games.

   ___✓___ Get tools for your father.

3. A classmate gets hurt on the playground.

   _____ Pretend you don't notice.

   ___✓___ Get help for your classmate.

Resumen del tema

Jesús está vivo en el cielo. También está con nosotros. Él nos ayuda a amar a los demás.

Palabra que aprendí

milagro*

Maneras de ser como Jesús

Jesús ayudó a las personas necesitadas. *Busca a tu alrededor personas que necesiten ayuda y tiéndeles una mano.*

Oración

Gracias, Jesús, por mostrarme tu actitud amorosa para que yo pueda compartir tu amor con los demás.

Con mi familia

Actividad Dediquen tiempo a visitar juntos un hogar de ancianos.

Listos para los sacramentos En familia, recuerden alguna ocasión en que se hayan perdido durante un viaje. ¿Cómo se sintieron al perderse? ¿Qué los ayudó a encontrar de nuevo el camino? ¿En qué se parece esta experiencia al sacramento de la Reconciliación?

Oración en familia *Querido Dios, ayúdanos a ser más como Jesús cada día.*

* Esta palabra se enseña con la lámina de arte. Mira la página 175.

Faith Summary

Jesus is alive in Heaven. He is also with us. He helps us love others.

Word I Learned

miracle*

Ways of Being Like Jesus

Jesus helped people in need.
Look around you for others who might need help and lend them a hand.

Prayer

Thank you, Jesus, for showing me your loving ways so that I can share your love with others.

With My Family

Activity Spend time visiting a local retirement home together.

Ready for the Sacraments As a family, recall a time you were traveling and got lost. How did you feel when you were lost? What helped you find your way again? How is this experience like the Sacrament of Reconciliation?

Family Prayer *Dear God, help us grow more like Jesus each day.*

* This word is taught with the Art Print. See page 175.

Jesús nos llama a amar

¿Te han invitado alguna vez a una fiesta? ¿Cómo te sentiste cuando te invitaron?

SESIÓN 8

Líderes de nuestra Iglesia

Los líderes de la Iglesia católica cuidan de su pueblo. Confiamos en estos líderes para que nos ayuden y nos guíen.

Nuestro papa

Pedro fue uno de los primeros seguidores de Jesús. Pedro sabía que Jesús era el Mesías. Jesús escogió a Pedro como líder de la Iglesia.

El papel de Pedro como líder de la Iglesia se ha transmitido a lo largo del tiempo. Hoy en día, el **papa** lidera la iglesia como lo hizo Pedro.

El papa vive en la Ciudad del Vaticano, cerca de Roma, en Italia.

(Continúa en la página 32).

Oración

Jesús amoroso, ayúdame a aprender a seguirte y a cuidar de las personas como lo haces tú.

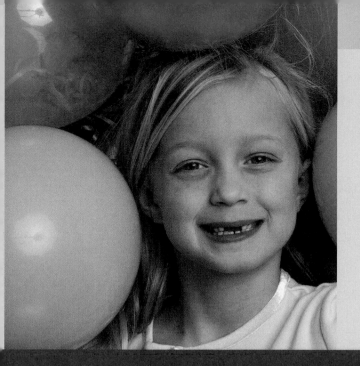

Jesus Calls Us to Love

When have you been invited to a party? How did it feel to be included?

Leaders of Our Church

The leaders of the Catholic Church care for their people. We look to these leaders to help us and guide us.

Our Pope

Peter was one of the first followers of Jesus. Peter knew that Jesus was the Messiah. Jesus chose Peter to become the leader of the Church.

Peter's role as the leader of the Church has been passed on through the years. Today the **pope** leads the Church as Peter did.

The pope lives at Vatican City near Rome, Italy.

(Continue to page 32.)

Prayer

Loving Jesus, help me learn to follow you and care for people as you do.

Nuestros obispos

Un **obispo** está a cargo de muchas parroquias. Se encarga de atender las necesidades de los católicos que pertenecen a esas parroquias. Cada obispo lleva una vara de pastor llamada **báculo**. El báculo nos recuerda que el obispo cuida de su pueblo. En este sentido el obispo es como Jesús, el Buen Pastor.

Listos para los sacramentos

Nos sentimos tristes cuando lastimamos a personas que queremos porque no nos sentimos ya tan cerca de ellos. Cuando pecamos nos sentimos tristes porque sentimos que nos alejamos de Dios. Pero Dios siempre está cerca y dispuesto a perdonarnos.

VE A LA
PÁGINA 176

Our Bishops

A **bishop** cares for many parishes. He tends to the needs of Catholics who belong to those parishes. Each bishop carries a shepherd's staff called a **crosier.** The crosier reminds us that the bishop cares for his people. In this way the bishop is like Jesus, the Good Shepherd.

Ready for the Sacraments

We feel sad when we hurt people we love because we don't feel as close to them. When we sin, we feel sad because we feel far away from God. But he is always close and ready to forgive us.

GO TO
PAGE 176

Oración

Dios nos cuida

Jesús nos dice lo mucho que Dios nos ama y cuida de nosotros. Piensa en cómo podemos compartir su amor y sus cuidados con todas las personas con que nos encontramos.

Piensa en personas que te quieren. Así como ellos te quieren, Dios también te ama y quiere que seas feliz. Piensa en algunas maneras en las que Dios ha cuidado de ti.

Ahora pide a Dios que te ayude a cuidar de los demás como él cuida de ti. Dile una manera en que vas a ayudar a otra persona.

La invitación de Jesús

Acabas de recibir una invitación de Jesús para acercarte más a él. ¿Qué te invita a hacer Jesús? En una hoja de papel aparte, escribe una carta a Jesús con tu respuesta.

Conoce a un santo

San Martín de Porres pasó su vida ayudando a personas en Perú. Martín quería y cuidaba de las personas y los animales. Al cuidar a los demás, Martín siguió a Jesús.

God Cares

Jesus tells us how much God loves and cares for us. Think about how we can share his love and his care with everybody we meet.

Think of people in your life who love you. Just as they love you, God too loves you and wants you to be happy. Think of some of the ways God has cared for you.

Now ask God to help you care for others as he cares for you. Tell him one way you will help another person.

Jesus' Invitation

You have received Jesus' invitation to be close to him. What is he inviting you to do? On a separate sheet of paper, write your response in a letter to Jesus.

Meet a Saint

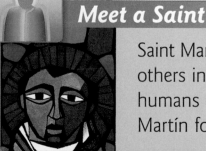

Saint Martín de Porres spent his life helping others in Peru. Martín loved and cared for humans and animals. By caring for others, Martín followed Jesus.

Resumen del tema

Jesús vino para invitarnos a seguir a Dios. Escogió a Pedro como líder de la Iglesia. Al ayudar a las personas que lo necesitan seguimos a Dios.

Palabras que aprendí

obispo
báculo
parábola*
papa

Maneras de ser como Jesús

Jesús nos invita a todos a seguir a Dios. *Incluye a otras personas cuando juegues o hagas tareas.*

Oración

Gracias, Jesús, por mostrarme lo mucho que me ama Dios.

Con mi familia

Actividad Pide a tu familia que invite a alguien a cenar y haz que esa persona se sienta bienvenida.

Listos para los sacramentos Pide a miembros de tu familia que te hablen de alguna ocasión en que alguien los perdonó. Pregúntales cómo se sintieron antes de pedir perdón y cómo se sintieron después de decir "lo siento" y haber sido perdonados.

Oración en familia Querido Dios, guíanos para seguirte cada día y ayudar a los necesitados.

* Esta palabra se enseña con la lámina de arte. Mira la página 176.

Faith Summary

Jesus came to invite everyone to follow God. He chose Peter to lead the Church. We follow God by helping people in need.

Words I Learned

bishop
crosier
parable*
pope

Ways of Being Like Jesus

Jesus invites everyone to follow God. *Include others in work or play.*

Prayer

Thank you, Jesus, for showing me how much God loves me.

With My Family

Activity Ask your family to invite someone to dinner and make him or her feel welcome.

Ready for the Sacraments Ask family members to tell you about a time when someone forgave them. Ask them how they felt before asking for forgiveness and how they felt after saying "I'm sorry" and receiving forgiveness.

Family Prayer *Dear God, guide us to follow you each day and to help those in need.*

* This word is taught with the Art Print. See page 176.

Jesús cuida de nosotros

Piensa en alguna ocasión en la que perdiste algo. ¿Dónde lo buscaste? ¿Cómo te sentiste al encontrarlo?

SESIÓN 9

Parábola de la oveja perdida

Jesús dijo: "Recuerden siempre que cada persona es importante para Dios. Un ángel en el cielo vela por cada uno de ellos".

Luego, Jesús les contó una parábola que enseña una lección importante. "¿Qué les parece esto? Un hombre tiene cien ovejas. Si una de sus ovejas se pierde, dejará a las otras noventa y nueve en el monte para ir a buscar la oveja perdida".

"Y si llega a encontrarla se alegrará más por ella que por las noventa y nueve que no se habían perdido".

Jesús nos enseña: "Eso es también lo que nuestro Padre del cielo quiere. Él no quiere que ni una sola persona se pierda".

adaptado de Mateo 18:10–14

Oración

Jesús, ayúdame a reconocer todas las maneras en que Dios cuida de mí.

Jesus Cares for Us

Think of a time you lost something. Where did you search for it? How did you feel when you found it?

The Parable of the Lost Sheep

Jesus said, "Always remember that each person is important to God. An angel in heaven watches over each one of them."

Then Jesus told a parable that teaches an important lesson. "What do you think about this? A man has 100 sheep. If one of them gets lost, he will leave the other 99 and search for the one lost sheep."

"And if he finds the lost sheep, he is happier with it than he is with the other 99 sheep."

He teaches us, "That is also what our heavenly Father wants. He does not want one single person to be lost."

adapted from Matthew 18:10–14

Prayer

Jesus, help me recognize all the ways God cares for me.

Cuidar del Pueblo de Dios

Un sacerdote sirve a su parroquia de muchas maneras. Celebra misas diarias, visita a los enfermos, enseña y ayuda a las personas que lo necesitan.

Los **diáconos** también sirven a la comunidad de la parroquia. Ayudan a los sacerdotes a enseñar sobre Dios y guían a las personas en la oración. Hermanas y hermanos religiosos, maestros y catequistas también ayudan a las personas a aprender sobre Dios.

Listos para los sacramentos

Jesús nos dijo que él era como un buen pastor que cuidaba de sus ovejas. Si una oveja se perdía, el pastor iría a buscarla. Algunas veces cometemos errores e incluso hacemos cosas malas. Podemos perdernos. En el sacramento de la Reconciliación Jesús está siempre listo para ayudarnos a encontrar nuevamente nuestro camino.

VE A LA PÁGINA 177

Shepherding God's People

A priest serves the parish in many ways. He celebrates Mass daily, visits people who are sick, teaches, and helps people in need.

Deacons also serve the people in their parishes. They help the priests teach about God and lead the people in prayer. Religious sisters and brothers, teachers, and catechists also help people learn about God.

Ready for the Sacraments

Jesus told us he was like a good shepherd who took care of his sheep. If a sheep got lost, the shepherd would find the sheep again. Sometimes we make mistakes and even do bad things. We can lose our way. In the Sacrament of Reconciliation, Jesus is always ready to help us find our way again.

GO TO PAGE 177

Oración

El Buen Pastor

El libro de los Salmos es una sección de la Biblia. Los Salmos son canciones u oraciones especiales. El Salmo 23 alaba a Dios.

> Señor, tú eres mi pastor, nada me falta.
>
> Te aseguras de que tenga suficiente
>   para comer, velas porque tenga buena agua
>   para beber, me fortaleces.
>
> Me guías por el buen sendero,
>   para que pueda cumplir tu voluntad.
>
> Aun cuando estoy en peligro,
>   no siento miedo porque tú estás
>   conmigo, tu cuidado me da valor.
>
> *adaptado de Salmo 23*

Dios es el Buen Pastor. Él siempre cuidará de ti. Da gracias a Dios por amarte tanto.

Dios es nuestro Pastor

Un buen pastor cuida de cada una de sus ovejas, tal como Dios cuida de cada uno de nosotros.

Oveja de Dios

En una hoja de papel aparte dibuja una oveja. Escribe una oración. Da gracias a Jesús por cuidar de ti.

Prayer

The Good Shepherd

The Book of Psalms is a section of the Bible. Psalms are special songs or prayers. Psalm 23 praises God.

> Lord, you are my shepherd,
> there is nothing that I need.
>
> You make sure I have enough to eat,
> you see that I have good water to drink,
> you give me great strength.
>
> You guide me along the right path,
> so that I may do as you wish.
>
> Even when I am in danger,
> I am not afraid because you are with me,
> your care gives me courage.
>
> *adapted from Psalm 23*

God is the Good Shepherd. He will always take care of you. Thank God for loving you so much.

God Is Our Shepherd

A good shepherd cares about every sheep, just as God cares for every one of us.

God's Sheep

On a separate sheet of paper, draw a sheep. Write a prayer under it. Thank Jesus for watching over you.

Resumen del tema

Jesús nos enseña acerca de la forma amorosa en que Dios se preocupa de nosotros. Los líderes de la Iglesia nos ayudan a conocer y amar a Dios.

Palabra que aprendí

diácono

Maneras de ser como Jesús

Jesús, el Buen Pastor, cuida de todas sus ovejas. *Cuida de tu familia y amigos.*

Oración

Gracias, Dios, por ser mi Buen Pastor y por estar siempre a mi lado.

Con mi familia

Actividad Planifica un día especial para alguien de tu familia.

Listos para los sacramentos Pide disculpas sin inventar excusas ni culpar a otras personas. Dios siempre nos va a perdonar cuando nos arrepentimos, así que no tenemos que esconder lo que hemos hecho.

Oración en familia Querido Dios, acompaña a los párrocos de la Iglesia. Dales fuerza y guíalos en su misión de servir a tu pueblo.

Faith Summary

Jesus teaches us about God's loving concern for us. The leaders of the Church help us to know and love God.

Word I Learned

deacon

Ways of Being Like Jesus

Jesus the Good Shepherd cares for all his sheep. *Take care of your friends and family.*

Prayer

Thank you, God, for being my Good Shepherd and for always staying by my side.

With My Family

Activity Plan a special day for someone in your family.

Ready for the Sacraments Say you're sorry without excuses or blame. God will always forgive us when we're sorry, so we no longer have to hide what we've done.

Family Prayer *Dear God, be with the pastors of the Church. Give them strength and guidance as they serve your people.*

Celebrando el Adviento

El año litúrgico de la Iglesia comienza con el Adviento. El Adviento es el tiempo anterior a la Navidad. Comienza cuatro domingos antes del 25 de diciembre y termina con la misa de Nochebuena.

Oración

Querido Jesús, iluminas nuestro camino a la felicidad. Ayúdame a dejar un espacio para ti en mi vida durante este Adviento.

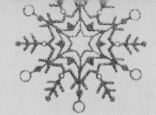

Celebrating Advent

The Church's liturgical year begins with Advent. Advent is the season before Christmas. It begins four Sundays before December 25 and ends at Mass on Christmas Eve.

Prayer

Dear Jesus, you light our way to happiness. Help me to make room for you in my life this Advent.

Durante el Adviento buscamos a Jesús

El Adviento es un tiempo para buscar a Jesús y dejar espacio para él en nuestras vidas. Durante el Adviento se nos recuerda que Jesús "iluminará" nuestro camino hacia la verdadera felicidad y paz.

¿Cómo buscaré a Jesús este Adviento?

¿Cómo podré hacer tiempo para Jesús en la escuela, en la casa y los fines de semana?

Jesús, mi luz

Al igual que una estrella, Jesús es la luz que brilla en la oscuridad. ¿Cómo puedo iluminar el camino para otros al igual que lo hizo Jesús?

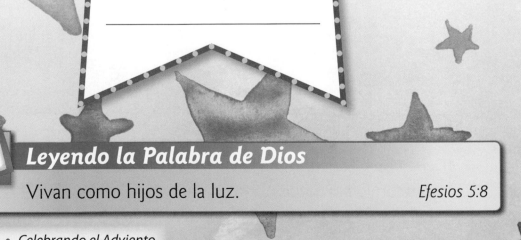

Leyendo la Palabra de Dios

Vivan como hijos de la luz.   *Efesios 5:8*

We Seek Jesus During Advent

Advent is a time to seek Jesus and make room for him in our lives. During Advent we are reminded that Jesus will "light" our way to true happiness and peace.

How will I seek Jesus this Advent?

How can I make time for Jesus during my school day, at home, and on the weekends?

Jesus, My Light

Just like a star, Jesus is the light that shines in the darkness. How can I light the way for others as Jesus did?

Reading God's Word

Live as children of light.   *Ephesians 5:8*

La misa durante el Adviento

Cuando vas a misa durante el Adviento puede que notes el brillo de las velas de Adviento. Las velas simbolizan a Jesús y cómo él ilumina nuestro camino durante el tiempo de Adviento. También observarás el color morado, el color del Adviento.

Lo que vivimos

Cuando ves las velas de Adviento en la iglesia, ¿sientes paz? Jesús está contigo. Piensa en la luz de Jesús mientras coloreas las velas de morado o rosado.

Listos para los sacramentos

Durante el Adviento prestamos atención a lo mucho que deseamos estar cerca de Dios. En el sacramento de la Reconciliación experimentamos esa cercanía. Podemos ser sanados cuando abrimos nuestro corazón y experimentamos el amor compasivo de Dios.

VE A LA PÁGINA 178

Mass During Advent

When you go to Mass during Advent, you may notice the brightness of the Advent candles. The lights symbolize Jesus and how he lights our way during the Advent season. You will also see the color purple, which is the color of Advent.

What We Experience

When you see the Advent candles in church, do you feel a sense of peace? Jesus is with you. Think about the light of Jesus as you color the festive candles purple or pink.

Ready for the Sacraments

During Advent we pay attention to how much we long to be close to God. In the Sacrament of Reconciliation, we can experience that closeness. We can be healed when we experience God's forgiving love with an open heart.

GO TO PAGE 178

Resumen del tema

El Adviento es un tiempo para buscar a Jesús y dejar espacio para él en nuestras vidas. Jesús es la luz que brilla en la oscuridad para guiar nuestro camino hacia la verdadera felicidad y la paz.

Maneras de ser como Jesús

Jesús es la luz del mundo. *Deja que su luz brille a través de tu bondad hacia los demás durante este tiempo.*

Oración

Jesús, ayúdame este Adviento a caminar en tu luz. Quiero encontrarte y hacerte el centro de mi vida.

Con mi familia

Actividad Sugiérele a tu familia que hagan juntos una corona de Adviento. Túrnense para encender las velas.

Listos para los sacramentos En tiras de papel, escribe los nombres de personas con quienes no te llevas bien y sostén esas tiras con las manos bien cerradas. Luego, intenta pasar una bolsita de frijoles con los puños cerrados. Hablen sobre lo difícil que es recibir perdón si no tienes un corazón abierto y perdonas.

Oración en familia Invita a tu familia a crecer en la fe durante el Adviento. Recen juntos cada día la oración que aparece en esta página.

Faith Summary

Advent is a time to seek Jesus and make room for him in our lives. Jesus is the light that shines in darkness to guide our way to true happiness and peace.

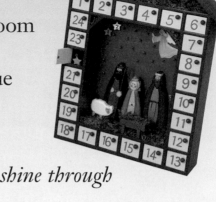

Ways of Being Like Jesus

Jesus is the light of the world. *Let his light shine through your kindness to others during this season.*

Prayer

Jesus, this Advent help me walk in your light. I want to seek you and make you the center of my life.

With My Family

Activity Suggest that your family make an Advent wreath. Take turns lighting the candles.

Ready for the Sacraments Write on slips of paper the names of people you are angry with and hold the papers tightly. Then try passing around a beanbag with closed fists. Talk about how it is very difficult to receive forgiveness if your heart won't let go, open, and forgive.

Family Prayer Invite family members to grow during Advent. Each day pray together the prayer on this page.

La Iglesia, nuestra comunidad en el Espíritu

San Ignacio de Loyola

Ignacio nació en España en el seno de una familia católica numerosa. Se hizo soldado, pero nunca olvidó su formación católica.

Tras resultar herido en una batalla, Ignacio regresó a su casa. En ese tiempo, leyó libros sobre Jesús y los santos. Ignacio quería ser como ellos y decidió dedicar su vida a hacer la obra de Dios.

SESIÓN 11

Adoramos a Dios

¿Alguna vez has tenido una experiencia que te ha cambiado la vida, como aprender a montar en bicicleta, darle la bienvenida a un hermanito o aprender a leer? ¿Cómo cambiaste?

Oración

Jesús, mi amigo, ayúdame a estar más cerca de ti para que pueda crecer en la fe.

The Church, Our Community in the Spirit

Saint Ignatius of Loyola

Ignatius was born in Spain to a large Catholic family. He became a soldier, but he never forgot his Catholic upbringing.

Ignatius returned home after being wounded in battle. He read books about Jesus and the saints. Ignatius wanted to be like them. He decided to spend his life doing God's work.

SESSION 11

We Worship God

Have you ever had an experience that changed your life, such as learning to ride a bike, welcoming a new sibling, or learning to read? How did you change?

Prayer

Jesus, my friend, help me stay close to you so that I will grow in faith.

El Espíritu Santo viene a nosotros

Jesús nos dio los sacramentos. Los sacramentos son signos especiales de que Dios está con nosotros. En los sacramentos recibimos al Espíritu Santo, que nos trae el don especial de la gracia de Dios. Esto nos ayuda a ser amigos de Dios.

El Espíritu Santo nos ayuda a actuar como Dios quiere que actuemos. Lo bueno que encontramos en nuestras acciones y palabras es lo que llamamos **frutos del Espíritu Santo**. Somos capaces de ser buenos y amorosos porque Dios vive en nosotros.

The Holy Spirit Comes to Us

Jesus gave us the sacraments. They are special signs that God is with us. In the sacraments we receive the Holy Spirit, who brings us God's special gift of grace. This helps us be God's friends.

The Holy Spirit helps us act as God wants us to act. The good we find in our words or actions is called the **Fruits of the Holy Spirit.** We are able to be kind and loving because God is alive in us.

El sacramento del Bautismo

El Bautismo es el primer sacramento que celebramos. Cuando somos bautizados nos convertimos en hijos de Dios y en miembros de la Iglesia. Durante una celebración especial, llamada **rito**, una persona es sumergida en agua o se le vierte agua sobre la cabeza. La gracia que recibimos en los sacramentos nos ayuda a estar más cerca de Dios.

El Bautismo quita el **pecado original**. Este pecado está en el mundo porque Adán y Eva eligieron no obedecer a Dios.

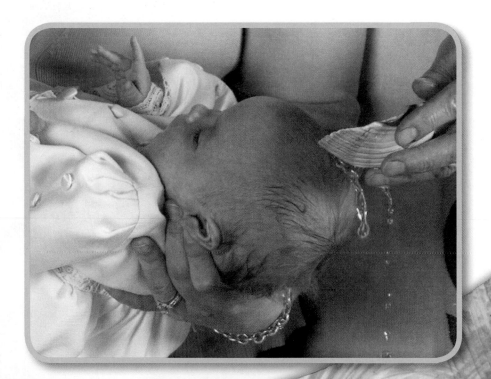

Listos para los sacramentos

A veces hablamos abiertamente sobre nuestros problemas con amigos y familiares. El sacramento de la Reconciliación es un momento en el que podemos hablar con Dios abiertamente.

VE A LA
PÁGINA 179

The Sacrament of Baptism

Baptism is the first sacrament we celebrate. We become children of God and members of the Church when we are baptized. During the special way of celebrating, called a **rite,** a person is immersed in water or water is poured over the person's head. The grace we receive in the sacraments helps us stay close to God.

Baptism takes away **Original Sin.** This sin is in the world because Adam and Eve chose not to obey God.

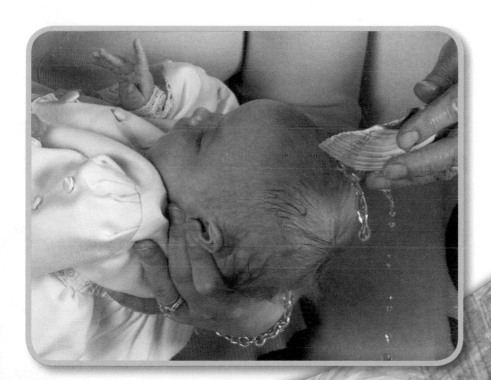

Ready for the Sacraments

At times we talk to friends and family heart-to-heart about our worries. The Sacrament of Reconciliation is a time when we can talk to God heart-to-heart.

GO TO
PAGE 179

Oración

Jesús es la vid

Imagina que estás en tu lugar favorito. Después imagina que Jesús está contigo. Quiere hablarte sobre la parábola de la vid y los sarmientos.

Jesús te muestra una viña hermosa. Las cepas tienen sarmientos frondosos y racimos de uvas maduras. Te muestra muchos sarmientos sanos y lo fuertemente sujetos que están.

Jesús te pide que recuerdes que él es la vid y tú uno de los sarmientos. Te recuerda que siempre debes mantenerte cerca de él. Invítalo a mirar en tu corazón. Sabes que puedes decirle a Jesús lo que quieras. Deja tus preocupaciones en sus manos y escucha lo que quiere decirte. Disfruta de estar junto a Jesús.

Cerca de la vid

Jesús quiere que estemos cerca de él. ¿De qué manera tu forma de actuar y tus palabras te acercan a Jesús? ¿Qué puedes hacer para mostrarle a Jesús que lo amas?

Más cerca de Jesús

En una hoja de papel, haz una lista de las cosas que puedes hacer para acercarte a Jesús más cada día.

Prayer

Jesus Is the Vine

Imagine you are in your favorite place. Then imagine Jesus is there with you. He wants to talk to you about the parable of the vine and the branches.

Jesus shows you a lovely vineyard. There are strong branches on the vine and clusters of ripe grapes. He shows you many healthy branches and how secure they are.

Jesus asks you to remember that he is the vine and you are one of the branches. He reminds you to stay close to him always. Invite him to look into your heart. You know you can tell Jesus whatever you want. Place your cares in his hands and listen for what he wants you to know. Enjoy being together.

Close to the Vine

Jesus wants us to stay close to him. How can your actions and words bring you closer to Jesus? What can you do to show Jesus that you love him?

Growing Close to Jesus

On a separate sheet of paper, list things you can do to grow closer to Jesus each day.

tarro de tareas

Resumen del tema

La gracia que recibimos en los sacramentos nos ayuda a estar cerca de Dios. Jesús nos contó la parábola de la vid y los sarmientos para ayudarnos a estar cerca de él.

Palabras que aprendí

frutos del Espíritu Santo
pecado original
rito

Maneras de ser como Jesús

La infinita bondad de Jesús atrajo a las personas. *Mantente cerca de Jesús siendo bueno con los demás.*

Oración

Gracias, Dios, por darme a Jesús. Mantenme cerca mientras aprendo más de ti y de Jesús, tu Hijo.

Con mi familia

Actividad Para compartir tareas de la casa, haz un tarro de tareas para tu familia. Pide a los miembros de tu familia que saquen del tarro tareas para hacer.

Listos para los sacramentos Durante una comida en familia, pide a todos que completen la siguiente frase para cada miembro de la familia: "Algo que aprecio mucho de ti es…". Hablen desde el corazón.

Oración en familia Querido Dios, *ayúdanos a recordar que Jesús es la vid y nosotros los sarmientos. Ayuda a nuestra familia a estar siempre cerca de Jesús.*

Faith Summary

The grace we receive in the sacraments helps us stay close to God. Jesus told us the parable of the vine and the branches to help us stay close to him.

Words I Learned

Fruits of the Holy Spirit
Original Sin
rite

Ways of Being Like Jesus

Jesus' unending kindness brought others close to him. *Stay close to Jesus by being kind to others.*

Prayer

Thank you, God, for giving me Jesus. Keep me close as I learn more about you and Jesus, your Son.

With My Family

Activity To share household work, make a chore jar for your family. Have family members pick jobs to do from the jar.

Ready for the Sacraments At a family meal, have everyone finish this sentence for every other family member: "One thing I really appreciate about you is…." Make sure you speak from the heart.

Family Prayer *Dear God, help us remember that Jesus is the vine and we are the branches. Help our family always stay close to Jesus.*

Celebrar la Reconciliación

¿Alguna vez ha sido un amigo cruel contigo?
Piensa en cómo hirió tus sentimientos. ¿Cómo
volvieron a ser amigos de nuevo?

SESIÓN 12

Hacer las paces con Dios

Cuando pecamos elegimos darle la espalda a
Dios. Cuando cometemos un **pecado venial** o
un **pecado mortal** nos alejamos de Dios.

Un pecado mortal es obrar mal de manera muy
grave. Un pecado venial es obrar mal de manera
menos grave. Todos los pecados dañan nuestra
relación con Dios y con los demás.

Los pecados se perdonan cuando celebramos el
sacramento de la Reconciliación. En la **confesión**
le pedimos perdón a Dios. La **contrición** es la
tristeza que sentimos al haber pecado. En la
Reconciliación hacemos las paces con Dios y
con los demás. Le prometemos a Dios que
trataremos de no volver a pecar.

Oración

*Jesús, mi Salvador, ayúdame a ser consciente de mis pecados.
Enséñame a pedir perdón cuando me equivoco.*

Celebrating Reconciliation

Has a friend ever been unkind to you? Think of how it hurt your feelings. How did you become friends again?

Making Peace with God

We choose to turn away from God when we sin. We turn away from God when we commit a **mortal sin** or a **venial sin.**

Mortal sin is a very serious wrong. Venial sin is a less serious wrong. All sin hurts our relationship with God and with others.

Sin is forgiven when we celebrate the Sacrament of Reconciliation. In **confession** we tell God we are sorry. **Contrition** is the sadness we feel when we have sinned. In Reconciliation we make peace with God and with others. We promise God that we will try not to sin again.

Prayer

Jesus, my Savior, help me be aware of my sins. Teach me to ask for forgiveness when I am wrong.

Prepararnos para la Reconciliación

Antes de ir a confesarnos es importante que hagamos un **examen de conciencia**.

Jesús se complace cuando nos acercamos a él en confesión y le pedimos perdón por nuestros pecados. Él siempre nos va a perdonar.

Listos para los sacramentos

Si Jaime le quita la pelota a Cintia, no es suficiente con que le pida perdón. También tiene que devolverle la pelota. Después de confesar nuestros pecados, el sacerdote nos da una penitencia como manera de compensar por nuestros pecados y cambiar nuestras vidas. Entonces podemos vivir en paz de nuevo.

VE A LA PÁGINA 180

Preparing for Reconciliation

Before going to confession, it is important to make an **examination of conscience**.

Jesus is happy with us when we come to him in confession and tell him we are sorry for our sins. He will always forgive us.

Ready for the Sacraments

If Jason takes Chloe's soccer ball, it's not enough to say he is sorry. He must also give back the ball. After we confess our sins, the priest gives us a penance as a way to make up for our sins and change our lives. Then we can live in peace again.

GO TO PAGE 180

Oración

Decir "lo siento"

Dios quiere que nos arrepintamos de nuestros pecados y que le pidamos perdón. Rezamos una oración especial para decirle que estamos arrepentidos de haber pecado.

Acto de Contrición

Dios mío,
me arrepiento de todo corazón
de todos mis pecados
y los aborrezco,
porque al pecar, no sólo merezco
las penas establecidas por ti justamente,
sino principalmente porque te ofendí,
a ti sumo Bien y digno de amor
por encima de todas las cosas.
Por eso propongo firmemente,
con ayuda de tu gracia,
no pecar más en adelante
y huir de toda ocasión de pecado.
Amén.

Jesús perdona

Jesús nos ama y perdona nuestros pecados. Después de perdonarnos, quiere que mantengamos puros nuestros corazones y que tratemos de no pecar otra vez.

Un corazón puro

En una hoja de papel aparte, escribe una carta a Dios. Pídele que te ayude a mantener puro tu corazón, libre de pecado. Dile algunas maneras en las que evitarás pecar en el futuro.

Prayer

Saying "I'm Sorry"

God wants us to be sorry for our sins and to ask for his forgiveness. We pray a special prayer to tell him we are sorry for sinning.

Act of Contrition

My God,
I am sorry for my sins with all my heart.
In choosing to do wrong
and failing to do good,
I have sinned against you
whom I should love above all things.
I firmly intend, with your help,
to do penance,
to sin no more,
and to avoid whatever leads me to sin.
Our Savior Jesus Christ
suffered and died for us.
In his name, my God, have mercy.
Amen.

Jesus Forgives

Jesus loves us and forgives us for our sins. After we are forgiven, he wants us to try to keep our hearts pure and to do our best not to sin again.

A Pure Heart

On a separate sheet of paper, write a letter to God. Ask him to help you keep a pure heart, free from sin. Tell him ways you will avoid sinning in the future.

Resumen del tema

Dios perdona nuestros pecados cuando celebramos el sacramento de la Reconciliación.

Palabras que aprendí

confesión   contrición   examen de conciencia
pecado mortal   pecado venial

Maneras de ser como Jesús

Jesús perdonó a quienes se arrepintieron de sus pecados. *Perdona tú también a los demás.*

Oración

Gracias, Jesús, por ayudarme a perdonar a los demás como tú me perdonas a mí.

Con mi familia

Actividad Haz tarjetas que digan *Lo siento* y *Te perdono*. Pide a tu familia que usen las tarjetas cada vez que exista un conflicto.

Listos para los sacramentos Pregunta a tu familia por alguna ocasión en que hicieron algo bueno por otra persona después de hacer algo mal. ¿Cómo se sintieron después?

Oración en familia Querido Dios, *ayúdanos a amarnos y perdonarnos siempre.*

Faith Summary

When we celebrate the Sacrament of Reconciliation, God forgives our sins.

Words I Learned

confession   contrition   examination of conscience
mortal sin   venial sin

Ways of Being Like Jesus

Jesus forgave people who were sorry for their sins. *Be forgiving of others.*

Prayer

Thank you, Jesus, for helping me forgive others as you forgive me.

With My Family

Activity Make cards that say *I'm sorry* and *I forgive you*. Have family members use the cards when they have a conflict.

Ready for the Sacraments Ask your family members to tell about a time they made something right for another person after doing something wrong. How did they feel afterward?

Family Prayer *Dear God, help us always love and forgive one another.*

El sacramento de la Reconciliación

Algunas veces decimos o hacemos cosas para lastimar a amigos o familiares. ¿Cómo podemos compensarles por ello?

SESIÓN 13

Somos perdonados

Jesús perdonó los pecados de los demás. Él también perdona nuestros pecados. Jesús obra a través de los sacerdotes que perdonan nuestros pecados en su nombre.

Nuestros pecados son perdonados cuando el sacerdote extiende sus manos sobre nuestra cabeza y reza la oración de **absolución**. La oración termina con estas palabras:

"Dios te conceda, por el ministerio de la Iglesia, el perdón y la paz. Y yo te absuelvo de tus pecados en el nombre del Padre y del Hijo y del Espíritu Santo".

Oración

Jesús, mi amigo, enséñame a perdonar para que aprenda a hacer las paces con Dios y con los demás.

The Sacrament of Reconciliation

Sometimes we do or say something to hurt our friends or family. How can we make it up to them?

We Are Forgiven

Jesus forgave the sins of others. He forgives our sins too. Jesus works through priests who forgive our sins in his name.

Our sins are forgiven as the priest extends his hands over us and prays the prayer of **absolution.** The prayer ends with the words:

"May God give you pardon and peace, and I absolve you from your sins in the name of the Father, and of the Son, and of the Holy Spirit."

Prayer

Jesus, my friend, teach me about forgiveness so that I may learn to make peace with God and with others.

En paz con Dios

Después de confesar nuestros pecados, el sacerdote nos da una penitencia. Puede ser una oración o hacer una buena obra para compensar por nuestros pecados. Le decimos a Dios que queremos vivir como hijos suyos.

La gracia que recibimos en el sacramento de la Penitencia y la Reconciliación nos fortalecerá cuando nos sintamos tentados a pecar. Nos ayudará a evitar el pecado y a acercarnos más a Dios.

Salimos de la confesión sabiendo que estamos en paz con Dios y con los demás. Hemos sido liberados del peso de nuestros pecados. Sentimos alegría por la libertad que nos da el perdón.

Listos para los sacramentos

El sacerdote tiene la obligación de mantener en secreto los pecados confesados. Esto se conoce como **sigilo sacramental**.

VE A LA
PÁGINA 181

At Peace with God

After we confess our sins, the priest gives us a penance. This is a prayer we pray or a deed we do to make up for our sins. We tell God we want to live as his children.

The grace we receive in the Sacrament of Penance and Reconciliation will strengthen us when we are tempted to sin. It will help us avoid sin and grow closer to God.

We leave confession knowing we are at peace with God and with others. We are relieved of the burden of our sins. We feel joy in the freedom of forgiveness.

Ready for the Sacraments

The priest must keep absolutely secret the sins that people have confessed to him. This is called the **seal of confession.**

GO TO
PAGE 181

Oración

Hacer las paces con Dios

La contrición es la tristeza que sentimos al saber que hemos pecado. Rezamos un Acto de Contrición para decirle a Dios que estamos arrepentidos.

Dios quiere que hagamos las paces con él. Quiere que hagamos las paces con las demás personas, pidiendo perdón cuando nos equivocamos.

Jesús sabe lo que hay en tu corazón. Debes saber que con él estás seguro. En silencio, dedica un tiempo a estar con Jesús. Escucha lo que Jesús quiere que sepas.

La paz sea contigo

¿Cómo te sientes al saber que estás en paz con Dios y con las personas?

Hacer la paz

Usa las palabras del recuadro para completar las oraciones.

> contrición   perdón

1. La tristeza que sentimos al saber que hemos pecado es

   _____.

2. Cuando pecamos, le pedimos a Dios y a las personas

   _____.

Making Peace with God

Contrition is the sadness we feel when we know we have sinned. We pray an Act of Contrition to tell God we are sorry.

God wants us to make peace with him. He wants us to make peace with others by asking forgiveness when we do something that is wrong.

Jesus knows what is in your heart. Know you are safe with him. Be still and spend some time with Jesus. Listen to what Jesus wants you to know.

Peace Be with You

How does being at peace with God and with others make you feel?

Making Peace

Use the words in the box to complete the sentences.

> contrition   forgiveness

1. The sadness we feel when we know we have sinned is

   _____.

2. When we sin, we ask God and others for

   _____.

Resumen del tema

Cuando celebramos el sacramento de la Reconciliación nuestros pecados son perdonados. Hacemos las paces con Dios y con los demás.

Palabras que aprendí

absolución   sigilo sacramental

Maneras de ser como Jesús

Jesús nos trajo la paz a través del perdón. *Actúa como reconciliador en tu familia y con tus amigos.*

Oración

Gracias, Dios, mi Padre, por perdonarme. Ayúdame a buscar siempre la paz.

Con mi familia

Actividad Esta semana perdona a algún miembro de tu familia o pídele perdón a alguien.

Listos para los sacramentos Pregunta a tu familia sobre alguna ocasión en que hayan sentido contrición, pedido perdón y hayan hecho las paces con otra persona. Comenten cómo se sintieron al pedir perdón y al ser perdonados.

Oración en familia Querido Dios, *ayúdanos a no olvidar que tú nos amas y que siempre perdonarás nuestros pecados.*

Faith Summary

When we celebrate the Sacrament of Reconciliation, our sins are forgiven. We make peace with God and with others.

Words I Learned

absolution   seal of confession

Ways of Being Like Jesus

Jesus brought peace through forgiveness. *Be a peacemaker with your family and friends.*

Prayer

Thank you, God, my Father, for forgiving me. Help me to be a more peaceful child of yours.

With My Family

Activity This week forgive a family member or ask someone to forgive you.

Ready for the Sacraments Ask your family members about a time they felt contrition, asked forgiveness, and made peace with another person. Talk about what it felt like to apologize and to be forgiven.

Family Prayer *Dear God, help us remember that you love us and will always forgive our sins.*

María nos muestra el camino

¿Con qué has necesitado ayuda recientemente?
¿Quién te ayuda normalmente?

María visita a Isabel

El ángel Gabriel le dijo a María que ella sería la madre de Jesús. Poco después, María fue a visitar a su prima Isabel.

Isabel estaba muy feliz de ver a María. Alabó a María por su amor a Dios y la llamó bendita.

María le dijo a Isabel: "Dios es grande. Él es mi Salvador. Todas las personas me felicitarán. Dios ha hecho grandes cosas por mí".

Luego María dijo: "El nombre de Dios es santo. Su misericordia durará siempre".

adaptado de Lucas 1:39–55

Oración

Dios, mi Padre celestial, enséñame más sobre María para que pueda seguir su ejemplo.

Mary Shows Us the Way

**What have you needed help with recently?
Who usually helps you?**

Mary Visits Elizabeth

The angel Gabriel told Mary that she was going to be the mother of Jesus. Soon after that, Mary went to visit her cousin Elizabeth.

Elizabeth was very happy to see Mary. She praised Mary for her love of God. She called her blessed.

Mary said to Elizabeth, "God is great. He is my Savior. All people will call me blessed. God has done great things for me."

Then Mary said, "God's name is holy. His mercy will last forever."

adapted from Luke 1:39–55

Prayer

God, my Heavenly Father, teach me about Mary so that I may learn to follow her example.

Magníficat

El Magníficat

Las palabras pronunciadas por María para alabar a Dios se han convertido en una oración especial. A esta oración los católicos le llamamos el *Magníficat*.

En esta oración decimos:

Mi alma canta la grandeza del Señor, mi espíritu se alegra en Dios, mi Salvador. El Señor ha mostrado su misericordia y su fuerza y ha hecho grandes cosas por todos.

adaptado del Magníficat

Listos para los sacramentos

María, la madre de Jesús, nos enseña que a veces es bueno pensar en silencio en nuestros corazones. Una manera de estar más cerca de Dios es recordando las cosas buenas que Dios hace por nosotros. Dedica tiempo cada día a estar en silencio. Sé consciente de que Dios te ama.

VE A LA
PÁGINA 182

The Magnificat

The words Mary used to praise God have become a special prayer. Catholics call this prayer the **Magnificat.**

In the prayer, we pray:

My soul proclaims the greatness of the Lord, and my spirit rejoices in God my Savior. The Lord has shown mercy and strength and done good things for all people.

adapted from the Magnificat

Magnificat

Ready for the Sacraments

Jesus' mother, Mary, teaches us that sometimes it is good to think quietly in our hearts. One way to stay close to God is to remember the good things God does for you. Make time each day to be quiet. Be aware that God loves you.

GO TO PAGE 182

Oración

Madre María

María tuvo el valor y el amor de hacer lo que Dios le pidió que hiciera. En tu imaginación, acércate a María y habla con ella sobre cómo se sintió al hacerlo.

Dile que no siempre es fácil para ti decirle sí a Dios. Quédate un poco más con María. Recen juntos a Dios para que te ayude a decir sí también.

Alabar a Dios

Podemos seguir el ejemplo de María alabando a Dios como ella hizo.

Poema de alabanza

Usa las palabras del recuadro para completar este poema de alabanza.

> nombre   camino

María alabó a Dios,
y nosotros hacemos lo mismo,
porque él es nuestro Salvador,

y sagrado es su _____.

Con sus obras y palabras,

María nos muestra el _____,
para compartir el amor de Dios,
los unos con los otros cada día.

Prayer

Mother Mary

Mary had the courage and love to do what God asked her to do. In your imagination go to Mary and talk with her about saying yes to God. Ask her what it was like for her to do this.

Tell her it is not always easy for you to say yes to God. Stay with Mary for a while. Pray together to God to help you say yes too.

Praise God

We can follow Mary's example by praising God as she did.

Poem of Praise

Use the words in the box to complete this poem of praise.

> name   way

Mary praised God,
And we do the same,
For hc is our Savior,

And holy is his _____.

Through actions and words,

Mary shows us the _____
To share God's great love,
With one another each day.

Resumen del tema

Isabel llamó bendita a María. Honramos a María de manera muy especial mediante la oración que llamamos el *Magníficat*.

Palabra que aprendí

Magníficat

Maneras de ser como Jesús

Jesús quería mucho a su madre. *Honra y ama a María, la Madre de la Iglesia.*

Oración

Gracias, Dios, por el ejemplo de María. Ayúdame a decirte sí.

Con mi familia

Actividad Conversen en familia sobre maneras de honrar a María en casa.

Listos para los sacramentos Investiga cómo se honra a María en el país o en los países de tus ancestros. Busca una imagen de María y colócala en un lugar especial de la casa.

Oración en familia *Querido Dios, ayuda a nuestra familia a amarte y alabarte como lo hizo María.*

Faith Summary

Elizabeth called Mary blessed. We honor Mary in a special prayer called the *Magnificat*.

Word I Learned

Magnificat

Ways of Being Like Jesus

Jesus loved his mother very much. *Honor and love Mary, the Mother of the Church.*

Prayer

Thank you, God, for the example of Mary. Help me say yes to you.

With My Family

Activity Talk with family members about ways to honor Mary in your home.

Ready for the Sacraments Explore how Mary is honored in the country or countries your ancestors are from. Find an image of Mary to display in a place of honor in your home.

Family Prayer *Dear God, help our family love and praise you as Mary did.*

Celebrando la Navidad

La Navidad se celebra el 25 de diciembre. El tiempo de Navidad comienza el 24 de diciembre y dura hasta la Fiesta del Bautismo del Señor, que se celebra el domingo siguiente a la Epifanía.

Oración

Querido Jesús, ayúdame a recordar en la Navidad que tú eres el mejor regalo que puedo recibir.

Celebrating Christmas

Christmas is celebrated on December 25. The season of Christmas begins on December 24 and lasts through the Feast of the Baptism of the Lord, which is celebrated the Sunday after the Epiphany.

Prayer

Dear Jesus, help me remember at Christmas that you are the best gift I can receive.

Celebramos en Navidad

¿Cómo celebra tu familia la alegría de la Navidad? ¿Leen la historia de la Natividad? ¿Reciben visitas de amigos y familiares? ¿Hacen una comida especial en familia?

Nos reunimos en familia para celebrar a Jesús entre nosotros.

Dibuja a tu familia celebrando la alegría de la Navidad.

Leyendo la Palabra de Dios

Le llamarán Emanuel, que quiere decir "Dios está con nosotros".

adaptado de Mateo 1:23

We Celebrate During Christmas

How does your family celebrate the joy of Christmas? Does your family read the Nativity story? Do friends or relatives come to visit? Do you eat a special meal with your family?

We gather as families to celebrate Jesus in our midst.

Draw a picture of your family celebrating the joy of Christmas.

Reading God's Word

They will name him Emmanuel, which means "God is with us."   *adapted from Matthew 1:23*

La misa durante la Navidad

Cuando familias enteras se reúnen para celebrar la misa, un aire de júbilo y alegría llena la iglesia. Durante el Adviento nos hemos preparado para recibir a Jesús y ahora celebramos su venida.

Lo que vivimos

Si miras a tu alrededor en la iglesia, puede que veas una **escena de la Natividad**. ¿Ves a María, José y al niño Jesús? ¿Están allí los pastores cuidando de sus ovejas? ¿Qué más ves en esta escena?

Colorea la escena de la Natividad.

Listos para los sacramentos

Debemos prepararnos para recibir el don más preciado de Dios, su Hijo Jesús. Comenzamos rezando así: "Jesús, ven a mi corazón. Ayúdame a recibirte cada día de mi vida".

VE A LA PÁGINA 183

Mass During Christmas

As families gather to celebrate Mass, a sense of joy and excitement fills the church. We have prepared for Jesus during Advent, and now we celebrate his coming.

What We Experience

When you look around your church, you may see a **Nativity scene.** Do you see Mary, Joseph, and the baby Jesus? Are the shepherds there, taking care of their sheep? What else do you see in this well-known scene?

Color the Nativity scene.

Ready for the Sacraments

We must prepare to receive God's most precious gift—his Son, Jesus, in the Eucharist. We begin by praying "Jesus, come into my heart. Help me welcome you every day of my life."

GO TO PAGE 183

Resumen del tema

La Navidad es un tiempo para celebrar en familia el nacimiento de Jesús.

Palabras que aprendí

escena de la Natividad

Maneras de ser como Jesús

Jesús trajo alegría al mundo. *Comparte tu alegría con los demás.*

Oración

Querido Dios, gracias por darnos a tu Hijo, Jesús. Ayúdame a compartir mi luz con los demás.

Con mi familia

Actividad Cuando vayas a misa durante la Navidad, mira a tu alrededor en la iglesia. Después de misa, conversen acerca de lo que vieron y sintieron.

Listos para los sacramentos Prepara un pesebre para Jesús, dejando la cuna vacía hasta Navidad. Por cada obra buena que hayas hecho en Adviento, coloca un poco de paja o un trozo de fieltro en la cuna para acomodar al niño Jesús cuando sea el momento.

Oración en familia Querido Dios, gracias por darnos el regalo más grande de todos: tu Hijo Jesús.

Faith Summary

Christmas is a time to gather as families to celebrate the birth of Jesus.

Words I Learned

Nativity scene

Ways of Being Like Jesus

Jesus brought joy to the world. *Share your joy with others.*

Prayer

Dear God, thank you for giving us your Son, Jesus. Help me to share my light with others.

With My Family

Activity When you go to Mass during Christmas, look around your church. After Mass talk about what you saw and felt.

Ready for the Sacraments Prepare a manger for the infant Jesus, keeping the crib empty until Christmas. For each kind act performed during Advent, place a handful of straw or a piece of felt in the crib to prepare a welcoming place for the Christ child.

Family Prayer *Dear God, thank you for giving us the greatest gift of all—your Son, Jesus.*

Los sacramentos, nuestra forma de vida

San Pío X

El Papa Pío X quería que los católicos recibieran la Sagrada Comunión con frecuencia. Creía que los niños deberían poder recibir la Sagrada Comunión alrededor de los siete años de edad. Quería que los niños estuvieran cerca de Jesús.

San Pío X difundió el amor de Dios al mundo. Dedicó su vida a ayudar a los demás y fundó organizaciones caritativas para cuidar de los pobres.

SESIÓN 16

Nueva vida en Jesús

¿Alguna vez has pertenecido a un grupo? ¿Eres parte de un coro o de un equipo deportivo? ¿Qué cosas buenas tiene ser miembro de un grupo?

Oración

Jesús, amigo mío, ayúdame a aprender sobre los sacramentos para que pueda apreciar lo que me estás dando.

Sacraments, Our Way of Life

UNIT 4

Saint Pius X

Pope Pius X wanted Catholics to receive Holy Communion often. He believed that children should be able to receive Holy Communion around age seven. He wanted them to be close to Jesus.

Saint Pius X spread God's love to the world. He spent his life helping others. He started charities to care for people who were poor.

SESSION 16

New Life in Jesus

Have you ever been a member of a group? Are you part of a choir or a sports team? What are the good things about being a member of a group?

Prayer

Jesus, my friend, help me learn about the sacraments so that I may appreciate what you are giving me.

Signos especiales de Dios

Un sacramento es un signo especial. Nos muestra que Dios está con nosotros. Jesús le dio los sacramentos a la Iglesia.

Los **sacramentos de la Iniciación** son el Bautismo, la **Confirmación** y la Eucaristía. Estos sacramentos nos llevan a ser parte de la familia de Dios. Nos dan la gracia. La gracia es un don que recibimos de Dios.

Bautismo

El Bautismo es el comienzo de nuestra nueva vida con Jesús. En el Bautismo somos salvados de nuestros pecados. El Bautismo nos da la gracia santificante. Este es el don de la nueva vida de Dios en nosotros.

Cuando somos bautizados nos convertimos en miembros de la Iglesia. Pasamos a formar parte de la familia de Dios.

(Continúa en la página 66).

Leyendo la Palabra de Dios

El Espíritu dice: "Ven". Quien tenga sed que venga y recibirá agua de vida.

adaptado de Apocalipsis 22:17

Special Signs from God

A sacrament is a special sign. It shows that God is with us. Jesus gave the sacraments to the Church.

The **Sacraments of Initiation** are Baptism, **Confirmation,** and the Eucharist. These sacraments bring us into God's family. They give us grace. Grace is a gift we receive from God.

Baptism

Baptism is the beginning of our new life with Jesus. We are saved from our sins in Baptism. Baptism gives us sanctifying grace. This is the gift of God's new life in us.

We become a member of the Church when we are baptized. We become part of God's family.

(Continue to page 66.)

Reading God's Word

The Spirit says, "Come." Whoever is thirsty may come forward and receive life-giving water.

adapted from Revelation 22:17

Confirmación

La Confirmación nos fortalece en la fe mediante la gracia santificante de Dios. La Confirmación nos ayuda a ser mejores cristianos.

Eucaristía

En la Eucaristía recibimos **el Cuerpo y la Sangre de Cristo**. Es lo que se llama **Sagrada Comunión**.

El pan y el vino de la Eucaristía se convierten en el Cuerpo y la Sangre de Jesucristo. Esto ocurre mediante las palabras de consagración rezadas por el sacerdote.

Listos para los sacramentos

Jesús promete estar con nosotros siempre y en los sacramentos está cerca de nosotros de una manera especial. Calma tu mente y abre tu corazón. Di: "Jesús, ansío recibirte en mi Primera Comunión. Ayúdame a estar preparado para recibirte".

VE A LA
PÁGINA 184

Confirmation

Confirmation makes us stronger in faith through God's sanctifying grace. Confirmation helps us become better Christians.

Eucharist

We receive the **Body and Blood of Christ** in the Eucharist. This is called **Holy Communion.**

The bread and wine of the Eucharist become the Body and Blood of Jesus Christ. This happens through the words of consecration prayed by the priest.

Ready for the Sacraments

Jesus promises to be with us always, and he is close to us in a special way in the sacraments. Quiet your mind and open your heart. Say, "Jesus, I look forward to receiving you in my First Holy Communion. Help me to be prepared to receive you."

GO TO PAGE 184

Oración

Dios nos dio agua

Dios nos dio agua para beber porque la necesitamos para vivir.

Piensa en las muchas cosas que puedes hacer con el agua. Tal vez te gusta nadar o llenar globos con agua. O refrescarte con un vaso de agua fresca en un día caluroso. ¿Qué otras cosas haces con el agua?

Ahora piensa en el agua que derramaron sobre ti cuando te bautizaron. Se te dio nueva vida con Jesús. Pasaste a ser parte de la familia de Dios. En tu imaginación encuéntrate con Jesús en tu lugar favorito. Dile lo feliz que te sientes de ser hijo de Dios. Escucha con tu corazón lo que él te dice.

Los sacramentos en nuestras vidas

Los sacramentos son signos especiales. A través de estos signos Dios nos concede la gracia. Cada sacramento refuerza nuestra fe.

Dios con nosotros

En una hoja de papel aparte, haz un dibujo de uno de los sacramentos de la Iniciación.

Prayer

God Gave Us Water

God gave us water to drink because we need it to live.

Think about the many things you can do with water. Maybe you like to swim in it or make water balloons. You can take a long, cool drink of water on a hot day. What other things do you do with water?

Now think about the water that was poured over you when you were baptized. You were given new life with Jesus. You became part of God's family. In your imagination meet Jesus in your favorite place. Tell him how happy you are to be God's child. Listen with your heart to what he tells you.

The Sacraments in Our Lives

The sacraments are special signs. Through these signs God gives us grace. Each sacrament builds our faith.

God With Us

On a separate sheet of paper, draw a picture of one of the Sacraments of Initiation.

Resumen del tema

El Bautismo, la Confirmación y la Eucaristía son los sacramentos de la Iniciación.

Palabras que aprendí

Cuerpo y Sangre de Cristo   **Sagrada Comunión**
Confirmación   **sacramentos de la Iniciación**

Maneras de ser como Jesús

Jesús nos dio los sacramentos para recordarnos que Dios está siempre con nosotros. *Habla en tu corazón con Jesús a lo largo del día.*

Oración

Gracias, Dios, por tu don de la gracia. Ayúdame a estar siempre cerca de ti.

Con mi familia

Actividad Como familia, ofrezcan su tiempo para ayudar en un ministerio de la parroquia.

Listos para los sacramentos Pide a cada miembro de tu familia que describa un momento en que se sintió feliz al estar juntos en familia. Da gracias a Jesús por estar presente en la vida de tu familia y en cada una de las situaciones descritas.

Oración en familia *Querido Dios, ayúdanos a recordar que siempre somos parte de tu familia.*

Faith Summary

Baptism, Confirmation, and the Eucharist are the Sacraments of Initiation.

Words I Learned

Body and Blood of Christ　　**Holy Communion**
Confirmation　　　　　　　**Sacraments of Initiation**

Ways of Being Like Jesus

Jesus gave us the sacraments to remind us that God is always with us. *Talk with Jesus in your heart throughout the day.*

Prayer

Thank you, God, for your gift of grace. Help me always stay close to you.

With My Family

Activity As a family, volunteer your time to help with a parish ministry.

Ready for the Sacraments Ask each family member to describe a time he or she was really happy to be together as a family. Thank Jesus for being present in the life of your family and in each of the situations described.

Family Prayer Dear God, help us remember we are always part of your family.

Jesús ama a la Iglesia

Imagina que ha llegado un niño nuevo a tu vecindario. ¿Cómo puedes dar la bienvenida a tu nuevo vecino? ¿Qué puedes hacer para que se sienta en casa?

SESIÓN 17

Invitar a Jesús a cenar

Después de la muerte de Jesús, dos de sus **discípulos** que iban por un camino se encontraron con un hombre. Los discípulos no sabían quién era y le contaron todo lo que le había ocurrido a Jesús. Invitaron al hombre a que los acompañara en la cena.

El hombre se sentó a la mesa con los discípulos. Partió el pan, lo bendijo y se lo dio. Cuando le vieron hacer esto, supieron que era Jesús. Supieron que Jesús había resucitado.

adaptado de Lucas 24:13–31

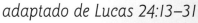

Oración

Jesús, mi guía, ayúdame a recibirte en mi corazón y en mi vida.

Jesus Loves the Church

Imagine a new child has moved into your neighborhood. How can you welcome your new neighbor? What can you do to make him or her feel at home?

Inviting Jesus to Dinner

After Jesus died, two of his **disciples** were walking along a road. They met a man. The disciples did not know who he was. The disciples told him about all that had happened to Jesus. They invited the man to join them for dinner.

The man sat down with the disciples at the dinner table. He broke bread, blessed it, and gave it to them. When he did this, they knew he was Jesus. They knew Jesus had risen.

adapted from Luke 24:13–31

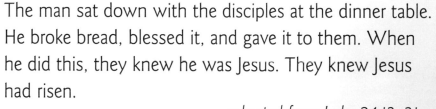

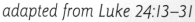

Prayer

Jesus, my guide, help me welcome you into my heart and my life.

Jesús está con nosotros

El Espíritu Santo viene a nosotros en el Bautismo. Cada día, la gracia del Espíritu Santo nos ayuda a amar a los demás. Cuando amamos a los demás acogemos a Jesús en nuestras vidas.

La manera más importante en que recordamos que Jesús está con nosotros es en la celebración de la Eucaristía, o el **sacrificio de la misa**. La misa es una celebración diaria que nos ayuda a recordar que Jesús murió por nosotros y que nos salvó de nuestros pecados.

Como católicos debemos asistir a misa y recibir la Sagrada Comunión cada domingo.

Listos para los sacramentos

En los relatos de los Evangelios escuchamos los mensajes que Jesús quiere decirnos. Él quiere que seamos bondadosos y que no juzguemos. Quiere que amemos a todas las personas, incluso a nuestros enemigos. Quiere que sepamos que Dios es un padre amoroso que quiere lo mejor para nosotros.

VE A LA
PÁGINA 185

Jesus Is with Us

The Holy Spirit comes to us in Baptism. Every day the grace of the Holy Spirit helps us love others. When we love others, we welcome Jesus into our lives.

The most important way we remember that Jesus is with us is in the celebration of the Eucharist, or the **Sacrifice of the Mass.** It is celebrated every day. The Mass helps us remember Jesus died for us and saved us from our sins.

As Catholics, we should participate in the Mass and receive Holy Communion every Sunday.

Ready for the Sacraments

In the Gospel stories, we hear the messages Jesus wants to tell us. He wants us to be kind and not judge others. He wants us to love everyone—even our enemies. He wants us to know that God is a loving father who wants the best for us.

GO TO
PAGE 185

Oración

Bendícenos, Señor

La hora de comer es un buen momento para compartir. Puedes ayudar a poner la mesa o a cocinar. También puedes compartir tus pensamientos con tu familia durante las comidas.

Otra parte importante del momento en que nos reunimos para comer es la oración. Antes de comer, dedica tiempo a dar gracias a Dios por los alimentos que tienes. Reza esta oración con tu familia antes de las comidas.

Bendición de la mesa antes de comer

*Bendícenos, Señor,
y bendice estos alimentos
que por tu bondad
vamos a tomar.
Por Jesucristo Nuestro Señor.
Amén.*

¡Bienvenido, Jesús!

Al igual que los discípulos, tú también puedes invitar a Jesús a ser parte de tu vida.

Un mensaje para Jesús

Imagina que Jesús te visita en tu casa. En una hoja de papel escribe un mensaje de bienvenida para Jesús que colocarías a la entrada de tu casa. Dibuja, colorea y decora la casa para tu amigo Jesús.

Prayer

Bless Us, O Lord

Mealtime is a good time to share. You can help set the table or help make the meal. You can also share thoughts with your family during meals.

Praying is another important part of gathering for meals. Before eating, take time to thank God for the food you have. With your family pray this prayer before meals.

Prayer Before Meals

Bless us, O Lord,
*   and these your gifts*
which we are about to receive
*   from your goodness.*
Through Christ our Lord.
Amen.

Welcome, Jesus!

Like the disciples, you can invite Jesus into your life too.

A Message for Jesus

Imagine Jesus is coming to visit your home. On a separate sheet of paper, write a welcome message for Jesus on the entrance to your house. Draw, color and decorate the house for your friend, Jesus.

Resumen del tema

El Espíritu Santo viene a nosotros en el Bautismo. Su gracia nos ayuda a amar a Jesús y a los demás. En la misa recordamos que Jesús murió para salvarnos de nuestros pecados.

Palabras que aprendí

discípulo
ministerio*
sacrificio de la misa

Maneras de ser como Jesús

Jesús acogió a personas nuevas en su vida. *Habla con un compañero o compañera de tu escuela a quien no conozcas bien.*

Oración

Amoroso Jesús, siempre eres bienvenido en mi vida. Ayúdame a acoger a los demás.

Con mi familia

Actividad Como familia, llévenle un pequeño obsequio a un vecino nuevo.

Listos para los sacramentos Todos queremos ser escuchados. Pregunta a tu familia sobre algo importante que les haya ocurrido durante el día. Cuéntales acerca de tu día. Comparte tus pensamientos y sentimientos.

Oración en familia Querido Jesús, que la gracia que nos envías fortalezca nuestro amor hacia ti y hacia los demás.

* Esta palabra se enseña con la lámina de arte. Mira la página 185.

Faith Summary

The Holy Spirit comes to us in Baptism. His grace helps us love Jesus and others. At Mass we remember that Jesus died to save us from our sins.

Words I Learned

disciple
ministry*
Sacrifice of the Mass

Ways of Being Like Jesus

Jesus welcomed new people into his life. *Talk with a child at school whom you don't know well.*

Prayer

Loving Jesus, you are always welcome in my life. Help me welcome others.

With My Family

Activity As a family, take a treat to a new neighbor.

Ready for the Sacraments We all want to be heard. Ask your family about something important that happened to them during the day. Tell your family about your day. Tell them what's on your mind and in your heart.

Family Prayer *Dear Jesus, may the grace you send strengthen our love toward you and others.*

* This word is taught with the Art Print. See page 185.

Reunirnos para la misa

¿Alguna vez has hecho una fiesta en casa con tus amigos o se han quedado a dormir? ¿Qué hiciste para recibir a tus invitados? ¿Te gustó hacer todos los preparativos?

SESIÓN 18

Comienza la misa

Como católicos asistimos a misa cada domingo y en días especiales. Voluntarios, como los que ayudan en el altar y los lectores, asisten al sacerdote. Se acercan al altar acompañando al sacerdote durante la procesión de entrada.

Primero, el sacerdote da la bienvenida a todos. A continuación lidera una oración por el perdón de nuestros pecados. Después, rezamos el Gloria. Esta oración le da gloria a Dios el Padre, Jesús su Hijo y al Espíritu Santo.

Escuchar el mensaje de Dios

El lector se acerca al **ambón**, el lugar desde donde él o ella va a leer. Los relatos vienen de un libro llamado *Leccionario*.

Cuando el lector termina, el sacerdote se acerca al ambón para leer un relato sobre la vida y el mensaje de Jesús. Después explica cómo todas las lecturas tienen un mensaje importante acerca de cómo vivimos cada día. Esta plática se llama la **homilía**.

Oración

Dios, Padre mío, ayúdame a descubrir las muchas maneras en que puedo alabarte y pedir tus bendiciones en la misa.

Gathering for Mass

Have you ever hosted a party or a sleepover? What did you have to do to get ready for your guests? Was it exciting to prepare for this fun time?

The Mass Begins

As Catholics we go to Mass every Sunday and on special days. Volunteers, such as altar servers and readers, help the priest. They come to the altar with the priest during the Entrance Chant.

First, the priest greets everyone. Then he leads a prayer for the forgiveness of our sins. Next, we pray the *Gloria*. This prayer gives glory to God the Father; Jesus, his Son; and the Holy Spirit.

Hearing God's Message

A reader walks to the **ambo,** a place where he or she will read. The stories come from a book called the ***Lectionary for Mass.***

When the reader finishes, the priest walks to the ambo to read a story about Jesus' life and message. Then he explains how all the readings have an important message about how we live every day. This talk is called the **homily.**

God's Message

Prayer

God, my Father, help me discover the many ways I can praise you and ask for your blessings at Mass.

Creo

Responder a la Palabra de Dios

Después de la homilía expresamos nuestra creencia en las enseñanzas de la Iglesia. Hacemos esto diciendo: "Creo".

Las lecturas de la Biblia y la homilía son dos partes de la **Liturgia de la Palabra**. Este es el momento durante la misa en el que escuchamos la Palabra de Dios de la Biblia. La Liturgia de la Palabra termina cuando rezamos juntos por todos aquellos que necesitan oraciones.

Listos para los sacramentos

El domingo es el día especial de la semana en que dedicamos tiempo a cuidar de nuestra relación con Dios. Disfrutamos el don del tiempo y el descanso que Dios nos quiere dar. Le damos gracias a Dios reuniéndonos en la misa para adorarlo y escuchar su Palabra.

VE A LA PÁGINA 186

Responding to God's Word

After the homily we express our belief in the teachings of the Church. We do this by saying, "I believe."

The Bible readings and the Homily are two parts of the **Liturgy of the Word.** This is the time during the Mass when we listen to God's Word from the Bible. The Liturgy of the Word ends when we pray together for anyone in need of prayers.

Ready for the Sacraments

Sunday is the special day of the week we make time to care for our relationship with God. We enjoy the gift of time and rest that God wants to give us. We say thank you to God by gathering at Mass to worship him and listen to his Word.

GO TO
PAGE 186

Oración

Vivir el mensaje de Dios

Nos reunimos en la misa para alabar a Dios. También recibimos sus mensajes. La misa nos acerca más a Dios y nos ayuda a hacer lo que Dios quiere que hagamos.

También podemos alabar a Dios en nuestra vida diaria. Piensa en algo que quieres decirle a Dios. Tal vez quieras alabarlo por alguna cosa buena que te haya ocurrido.

Piensa en cómo puedes vivir el mensaje de Dios cada día. ¿Qué puedes hacer para traer el mensaje de Dios a tu vida?

Ahora dedica tiempo a estar en silencio con Dios. Pídele que te ayude a entender su mensaje especial para ti. Escucha lo que Dios quiere que sepas. Luego, quédate un rato en silencio con él.

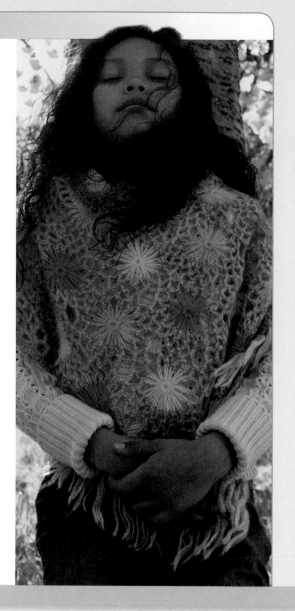

La misa

¿Qué ocurre durante la misa? En una hoja de papel aparte, escribe los pasos en orden.

Conexión con la liturgia

Durante la Liturgia de la Palabra se nos pide que respondamos a cada lectura. Cuando el lector dice: "Palabra de Dios", nosotros contestamos: "Te alabamos, Señor".

Prayer

Living God's Message

At Mass we gather to praise God. We also receive messages from him. Mass brings us closer to God. It helps us do what God wants.

We can praise God in our everyday lives too. Think about something you want to tell God. Maybe you want to praise him for a good thing that has happened to you.

Think about how you can live God's message every day. What can you do to bring God's message into your life?

Now spend some quiet time with God. Ask him to help you understand his special message for you. Listen for what God wants you to know. Then just be still with him for a while.

The Mass

What happens during Mass? On a separate sheet of paper, write the steps in order.

Link to Liturgy

We are asked to respond to each reading during the Liturgy of the Word. When the reader says, "The Word of the Lord," we say, "Thanks be to God."

Resumen del tema

En la misa alabamos a Dios y le pedimos su bendición. Las lecturas hacen que Jesús esté presente entre nosotros de una manera especial.

Palabras que aprendí

ambón
evangelistas*
homilía
Leccionario
Liturgia de la Palabra

Maneras de ser como Jesús

Jesús alababa a Dios en el Templo. *Asiste a misa cada semana y dedica tiempo a estar con Dios.*

Oración

Gracias, Jesús, por darnos tu mensaje. Ayúdame a escuchar con atención. Quiero seguirte.

Con mi familia

Actividad Como familia, saluden al sacerdote después de la misa.

Listos para los sacramentos Los domingos dejamos a un lado las actividades de la semana y dedicamos tiempo con nuestra familia a adorar juntos a Dios. Conversa con tu familia sobre dedicar el domingo a pensar en Dios y su creación.

Oración en familia *Dios, te damos gracias por el don de la misa. Ayúdanos a escuchar con nuestras mentes y nuestros corazones.*

* Esta palabra se enseña con la lámina de arte. Mira la página 186.

Faith Summary

At Mass we praise God and ask for his blessing.
The readings make Jesus present to us in a special way.

Words I Learned

ambo
Evangelists*
homily
Lectionary for Mass
Liturgy of the Word

Ways of Being Like Jesus

Jesus worshiped God in the Temple. *Attend weekly Mass and spend time with God.*

Prayer

Thank you, Jesus, for giving us your message. Help me listen carefully. I want to follow you.

With My Family

Activity As a family, greet the priest after Mass.

Ready for the Sacraments On Sunday we set aside the activities of the week and spend time with our family worshiping God together. Talk to your family about making Sunday a day to think about God and his creation.

Family Prayer *God, we thank you for the gift of Mass. Help us listen with our hearts and minds.*

* This word is taught with the Art Print. See page 186.

Celebrar la Eucaristía

¿Alguna vez le has dado algo a un amigo? ¿Has compartido algo especial con un familiar? ¿De qué manera el dar y compartir te acercó más a esa persona?

SESIÓN 19

Liturgia de la Eucaristía

Ana va a misa con su familia todos los domingos. La semana pasada, al comenzar la **Liturgia de la Eucaristía**, fueron los encargados de llevar los dones del pan y el vino al **altar**. Ana y su familia escuchaban mientras el sacerdote le pedía a Dios que aceptara y bendijera esos dones.

Durante la consagración el sacerdote repitió las palabras de Jesús en la Última Cena. El pan y el vino se convirtieron en el Cuerpo y la Sangre de Cristo. Esto se llama **transubstanciación**. El sacerdote invitó a todos a rezar el Padrenuestro y darse la paz. Pronto llegó el momento de recibir la Comunión. Entonces recibieron el Cuerpo y la Sangre de Cristo.

Tras rezar en silencio, el sacerdote bendijo a todos los presentes. Les dijo que podían ir en paz y, con sus vidas, glorificar al Señor.

Oración

Jesús, mi Salvador, ayúdame a compartir mi amor con los demás.

Celebrating the Eucharist

Have you ever given something to a friend? Have you shared something special with a family member? How did giving and sharing bring you closer to that person?

Liturgy of the Eucharist

Ana and her family go to Mass together every Sunday. Last week, as the **Liturgy of the Eucharist** began, they brought the gifts of bread and wine to the priest at the **altar.** Ana and her family listened as the priest asked God to accept and bless the gifts.

During the consecration the priest repeated the words of Jesus at the Last Supper. The bread and wine became the Body and Blood of Christ. This is called **transubstantiation.** The priest invited everyone to pray the Lord's Prayer and to share a sign of peace. Soon it was time to receive Holy Communion. They received the Body and Blood of Christ.

After praying silently, the priest gave everyone a blessing. He told them to go in peace and glorify the Lord by their lives.

Prayer

Jesus, my Savior, help me share your love with others.

Asistir a misa

La Iglesia nos llama a asistir a misa los domingos y los **días de precepto**. Estos son días en los que vamos a misa para recordar las grandes cosas que Dios ha hecho por nosotros.

¿Puedes nombrar un día de precepto?

Listos para los sacramentos

En la Última Cena que celebró con sus amigos Jesús lavó los pies de los apóstoles. Quería mostrarles cómo se deberían de amar y servir los unos a los otros. Una manera de prepararnos para recibir a Jesús en la Eucaristía es amar y servir a los demás como hizo Jesús.

VE A LA
PÁGINA 187

Attending Mass

The Church calls us to attend Mass on Sundays and **Holy Days of Obligation.** These are days when we go to Mass to remember great things God has done for us.

Can you name a Holy Day of Obligation?

Obligation

Ready for the Sacraments

At the Last Supper Jesus had with his friends, he washed the feet of the apostles. He wanted to show them how to love and to serve one another. One way to prepare to receive Jesus in the Eucharist is to love and to serve others as he did.

GO TO PAGE 187

Oración

Preparándonos para recibir a Jesús

Antes de recibir la Comunión el sacerdote dice:

*Este es el Cordero de Dios
que quita el pecado del mundo.
Dichosos los invitados a la cena del Señor.*

Nosotros respondemos rezando:

*Señor, no soy digno
de que entres en mi casa,
pero una palabra tuya
bastará para sanarme.*

Piensa en estas palabras. ¿Cómo es de especial el don de la Eucaristía que nos dio Jesús? ¿Cómo puedes dar gracias a Dios por entregarse a ti?

Ahora dedica un tiempo a estar con Jesús. Habla con él acerca de cómo te sientes. Escucha lo que Jesús quiere que sepas.

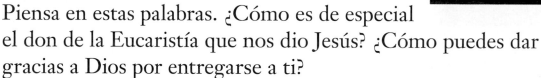

La Eucaristía

Durante la Plegaria Eucarística el pan y el vino se convierten en el Cuerpo y la Sangre de Jesucristo.

El don de Jesús

En una hoja de papel aparte, escribe una oración corta dando gracias a Jesús por entregarse a ti.

Prayer

Preparing to Receive Jesus

Before receiving Holy Communion, the priest says,

*Behold the Lamb of God,
behold him who takes away the
 sins of the world.
Blessed are those called to the
 supper of the Lamb.*

We respond by praying,

*Lord, I am not worthy
that you should enter under my roof,
but only say the word
and my soul shall be healed.*

Think about these words. How special is Jesus' gift of the Eucharist? How can you thank Jesus for giving himself to you?

Now spend some time with Jesus. Talk to him about what you are feeling. Listen to what Jesus wants you to know.

The Eucharist

During the Eucharistic Prayer, the bread and wine become the Body and Blood of Jesus Christ.

Jesus' Gift

On a separate sheet of paper, write a short prayer thanking Jesus for giving himself to you.

Resumen del tema

La misa es la manera más importante de rezar para los católicos.

Palabras que aprendí

altar
días de precepto
Liturgia de la Eucaristía
transubstanciación

Maneras de ser como Jesús

Jesús se entregó a nosotros. *Da de ti mismo para ayudar a los demás.*

Oración

Gracias, Jesús, por entregarte a mí. Llena mi corazón con un gran amor por la Eucaristía.

Con mi familia

Actividad Dedica una hora de tu tiempo libre esta semana para ayudar a alguien de tu familia.

Listos para los sacramentos Sigan el ejemplo de servicio que nos da Jesús. En familia, lústrense los zapatos unos a otros. Pueden hacerlo juntos o como sorpresa para la otra persona. Dejen que este acto de servicio sea una forma de preparse para la misa.

Oración en familia *Querido Dios, gracias por enviarnos a Jesús.*

Faith Summary

The Mass is the most important way Catholics pray.

Words I Learned

altar
Holy Days of Obligation
Liturgy of the Eucharist
transubstantiation

Ways of Being Like Jesus

Jesus gave himself to us. *Give of yourself to help others.*

Prayer

Thank you, Jesus, for giving yourself to me. Place in my heart a great love for the Eucharist.

With My Family

Activity Give up one hour of your free time this week to help someone in your family.

Ready for the Sacraments Follow Jesus' example of service. As a family, shine each other's shoes. You can do this together or as a surprise to the other person. Let this act of service be a way you prepare for Mass.

Family Prayer *Dear God, thank you for sending Jesus to us.*

Celebrando la Cuaresma y la Semana Santa

Durante la Cuaresma nos preparamos para celebrar la Resurrección de Jesús en Pascua. El tiempo de Cuaresma dura 40 días, comenzando el Miércoles de Ceniza. La Semana Santa es la última semana de la Cuaresma. Durante esta semana celebramos el Jueves Santo, el Viernes Santo y la Vigilia Pascual.

Oración

Querido Jesús, quiero estar más cerca de ti durante la Cuaresma. Ayúdame a ser la persona que quieres que sea.

Celebrating Lent and Holy Week

During Lent we prepare to celebrate the Resurrection of Jesus at Easter. The season of Lent lasts 40 days beginning with Ash Wednesday. The last week of Lent is Holy Week. During this week we celebrate Holy Thursday, Good Friday, and the Easter Vigil.

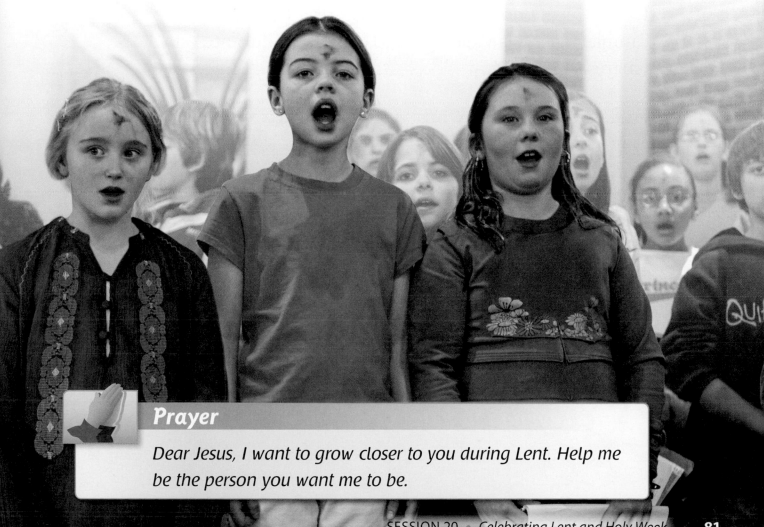

Prayer

Dear Jesus, I want to grow closer to you during Lent. Help me be the person you want me to be.

Crecemos en bondad durante la Cuaresma y la Semana Santa

La Cuaresma es un tiempo para pedirle a Dios que nos ayude a ser la persona que él nos llama a ser. Como preparación para este momento especial, hazte estas preguntas:

¿Cómo puedo ser un mejor amigo?

¿Cómo puedo mostrar más respeto a mi familia?

Un tiempo de cambio

La Cuaresma nos recuerda que seguir a Jesús significa cambiar nuestras vidas. ¿Cómo cambiarás durante esta Cuaresma?

_____

_____

_____

_____

_____

_____

Leyendo la Palabra de Dios

Dejen a un lado la conducta pasada y renuévense en Cristo.   *adaptado de Efesios 4:22–24*

We Grow in Goodness During Lent and Holy Week

Lent is a time to ask for God's help in becoming the person he calls us to be. To prepare for this special time, ask yourself these questions.

How can I be a better friend to others?

How can I show more respect to my family?

A Time to Change

Lent reminds us that following Jesus means changing our lives. How will you change this Lent?

_____

_____

_____

_____

_____

Reading God's Word

Put away your old self and be renewed in Christ.

adapted from Ephesians 4:22–24

La misa en la Cuaresma y la Semana Santa

Durante la Cuaresma y la Semana Santa presta especial atención al comienzo de la misa. Es cuando reconocemos nuestros pecados y le pedimos misericordia a Dios. Rezamos para que Dios nos ayude a vivir de forma más fiel a como Jesús nos enseñó.

Lo que vivimos

Durante la Cuaresma no verás muchos adornos ni decoraciones en tu iglesia. No solemos ver flores ni decoraciones en el santuario. El sacerdote lleva vestimentas de color morado.

Días importantes

Descifra las palabras que aparecen a continuación para escribir cinco días importantes en el tiempo de Cuaresma.

soéleMicr ed naCeiz _____

moginoD ed soRma _____

evuesJ ntaoS _____

neirsVe atonS _____

iagiVli lusaPca _____

Listos para los sacramentos

Jesús siempre cumplió la voluntad de su Padre, aun cuando hacerlo fuera difícil. En la misa aprendemos a ser fieles a Dios nuestro Padre como lo fue Jesús. Celebramos cómo la muerte y Resurrección de Jesús nos libera del pecado y nos promete una vida eterna.

VE A LA
PÁGINA 188

Mass During Lent and Holy Week

During Lent and Holy Week, pay special attention to the beginning of Mass. At this time we admit our sinfulness and ask for God's mercy. We pray for God's help to be more faithful in living as Jesus taught us.

What We Experience

During Lent your church looks very plain. Often we do not see flowers or decorations in the sanctuary. The priest wears purple vestments during Lent.

Important Days

Unscramble the words below to write five important days in the season of Lent.

sAh nyddWesea   _____

mPal ydaSnu   _____

yHol ydushTar   _____

doGo dyairF   _____

sarEte lViig   _____

Ready for the Sacraments

Jesus always did his Father's will, even when it was hard. At Mass we learn to be faithful to God our Father, just like Jesus. We celebrate how Jesus' dying and rising gave us freedom from sin and the promise of eternal life.

GO TO PAGE 188

Resumen del tema

La Cuaresma es una ocasión para pedirle a Dios que te ayude a ser la persona que él te llama a ser. Durante la Cuaresma cambiamos nuestra vida para seguir más de cerca a Dios.

Maneras de ser como Jesús

Jesús llamó a la gente a cambiar sus vidas. *Juega con un compañero o compañera con quien no suelas jugar.*

Oración

Querido Jesús, gracias por este tiempo de cambio. Ayúdame a ser más bondadoso con los demás.

Con mi familia

Actividad Cuando vayas a misa durante la Cuaresma y la Semana Santa mira a tu alrededor en la iglesia. Habla acerca de lo que ves.

Listos para los sacramentos Como familia, piensen en maneras en que pueden sacrificarse los unos por los otros. Dediquen tiempo a ayudarse unos a otros. Pueden unir su sacrificio al de Jesús, quien sacrificó su vida por nosotros.

Oración en familia *Invita a miembros de tu familia a que se turnen para guiar la oración a la hora de las comidas.*

Faith Summary

Lent is a time to ask God's help to become the person he calls you to be. During Lent we change our lives to follow Jesus more closely.

Ways of Being Like Jesus

Jesus called people to change their lives. *Play with a classmate you do not usually spend time with.*

Prayer

Dear Jesus, thank you for this season of change. Help me grow in goodness toward others.

With My Family

Activity When you go to Mass during Lent and Holy Week, look around your church. Talk about what you see.

Ready for the Sacraments As a family, think of ways you each sacrifice for one another. Give your time and help to one another. You can join your sacrifice to that of Jesus, who sacrificed his life for us.

Family Prayer *Invite family members to grow by taking turns leading the mealtime prayer.*

La moralidad, nuestra fe vivida

San Martín de Tours

Martín vivió hace mucho tiempo. Se hizo soldado cuando era muy joven.

Una noche de invierno Martín se encontró con un hombre que se estaba muriendo de frío. Martín cortó su abrigo y le dio la mitad al hombre. Esa misma noche Martín vio a Jesús en un sueño. Jesús llevaba puesta la mitad del abrigo de Martín.

Después de ese sueño Martín se convirtió en cristiano. Años más tarde fue ordenado obispo en Francia. Como obispo ayudó a mucha gente. Martín se convirtió en uno de los líderes más importantes de la Iglesia de su tiempo. Celebramos su fiesta el 11 de noviembre.

SESIÓN 21

Ser como Jesús

¿Alguna vez has ayudado a alguien que estaba triste o lastimado? ¿Cómo ayudaste a esta persona? ¿Cómo te sentiste al hacerlo?

Oración

Jesús, modelo de amor, ayúdame a aprender sobre las cosas que has dicho y hecho para que pueda ser más como tú.

Morality, Our Lived Faith

Saint Martin of Tours

Martin lived a long time ago. He became a soldier at a young age.

One cold night Martin met a man who was freezing. Martin cut his coat and gave half of it to the man. That same night Martin saw Jesus in a dream. Jesus was wearing half of Martin's coat.

Martin became a Christian after his dream. Later he was made a bishop in France. As bishop he helped many people. Martin became one of the most important Church leaders of his time. We celebrate his feast day on November 11.

SESSION 21

Being Like Jesus

Have you ever helped someone who was sad or hurt? How did you help this person? How did it make you feel about yourself?

Prayer

Jesus, model of love, help me learn about the things you said and did so that I can become more like you.

El buen samaritano

Un hombre preguntó a Jesús: "¿Qué debo hacer para vivir con Dios para siempre?".

Jesús le respondió: "¿Qué dice la ley?".

El hombre contestó: "Amarás a Dios con todas tus fuerzas. Amarás al prójimo como a ti mismo".

Jesús dijo al hombre que su respuesta era correcta. Jesús le dijo que si hacía esas cosas iría al cielo.

Luego el hombre preguntó a Jesús: "¿Quién es mi prójimo?".

Jesús contestó: "Un judío iba por un camino y fue asaltado por unos ladrones. Lo dejaron herido en el camino. Un oficial del Templo pasó por allí, pero ignoró al hombre herido. Otro hombre también pasó por allí, pero no lo ayudó".

(Continúa en la página 87).

The Good Samaritan

A man asked Jesus, "What must I do to live with God forever?"

Jesus answered, "What does the law say?"

The man said, "You should love the Lord with all your strength. You should love your neighbor as much as you love yourself."

Jesus told the man that he had given the right answer. Jesus told him he would go to Heaven if he did these things.

Then the man asked Jesus, "Who is my neighbor?"

Jesus answered by telling this story. "A Jewish man was traveling on a road. He was attacked by robbers. They left him hurt in the road. A Temple official walked by and ignored the hurt man. Another man passed by and did not help him."

(Continue to page 87.)

"Después un hombre que venía de Samaria le vió y quiso ayudarle. El buen samaritano le vendó las heridas, le subió a su burro y le llevó a una posada".

Jesús preguntó: "¿Cuál de estos tres hombres actuó como su prójimo?".

"El que mostró misericordia", contestó el hombre que dialogaba con Jesús.

"Así es", contestó Jesús. Y añadió: "Ve y haz tú lo mismo".

adaptado de Lucas 10:25–37

Buen samaritano

Listos para los sacramentos

Jesús es el ejemplo de lo que significa ser humano. Él es amoroso, bueno y santo. Cuanto más conocemos a Jesús más podemos ser como él. Una forma importante de crecer para ser más como Jesús, es recibir la Eucaristía con un corazón abierto y amoroso.

VE A LA
PÁGINA 189

"Then a good man from Samaria saw him. He wanted to help. So the Good Samaritan bandaged the man's wounds, lifted him onto his donkey, and took him to an inn."

Then Jesus asked, "Which of these three men acted like a good neighbor?"

"The one who showed mercy," said the man who was questioning Jesus.

"Yes," said Jesus. "Go and be like this man."

adapted from Luke 10:25–37

Good Samaritan

Ready for the Sacraments

Jesus is the example of what it means to be human. He is loving, kind, and holy. The more we get to know Jesus, the more we can be like him. Receiving the Eucharist with an open and a loving heart is an important way we grow to be more like Jesus.

GO TO
PAGE 189

Oración

Ser un buen samaritano

Jesús nos pide que mostremos misericordia en lo que hacemos y decimos. Él quiere que actuemos como lo hizo el buen samaritano.

En tu imaginación, encuéntrate con Jesús en un lugar donde te gustaría estar. Dile que sabes que él quiere que seas amable y bueno con los demás.

Dile algo bueno que hayas hecho por otra persona y después háblale de cuando te resulta difícil ser bueno. Pídele que te ayude. Escucha lo que Jesús quiere decirte.

Actuar como lo haría Jesús

San Martín de Tours ayudó a un desconocido que sufría. El buen samaritano actuó con amor y misericordia. Ambos actuaron como lo hubiera hecho Jesús.

Cambiar el mundo

En una hoja de papel aparte, dibuja a alguien actuando como lo haría Jesús.

Prayer

Being a Good Samaritan

Jesus asks us to show mercy in what we do and say. He wants us to act as the Good Samaritan did.

In your imagination meet Jesus in a place where you like to be. Tell Jesus you know he wants you to be kind and good to others.

Tell him about something nice you did for someone. Then tell Jesus when it is hard for you to be nice. Ask him to help you. Listen to what Jesus says to you.

Acting as Jesus Would

Saint Martin of Tours reached out to a suffering stranger. The Good Samaritan acted with love and mercy. Both of these people acted as Jesus would.

Making a Difference

On a separate sheet of paper, draw someone acting as Jesus would.

Resumen del tema

Jesús nos muestra cómo amar a los demás a través de sus palabras y obras. Él quiere que ayudemos a nuestro prójimo. Quiere que cuidemos de personas de las que tal vez otros se hayan olvidado.

Palabra que aprendí

Bienaventuranzas*

Maneras de ser como Jesús

Jesús nos enseñó a ser misericordiosos con los demás. *Sé un buen samaritano cada día.*

Oración

Gracias, Jesús, por tus parábolas. Ayúdame a ser un buen samaritano para los demás.

Con mi familia

Actividad Como familia, consuelen o ayuden a una persona o familia necesitada.

Listos para los sacramentos Haz una lista de características que describan a Jesús, como por ejemplo amoroso, fiel y misericordioso. Recuerda esas características la próxima vez que recibas la Eucaristía, porque en este sacramento nos hacemos como Jesús.

Oración en familia *Querido Dios, ayúdanos a mostrar el amor de Jesús a todos los que conozcamos.*

* Esta palabra se enseña con la lámina de arte. Mira la página 189.

Faith Summary

Jesus shows us how to love others through his words and actions. He wants us to help our neighbors. He wants us to care for people whom others may have forgotten.

Word I Learned

Beatitudes*

Ways of Being Like Jesus

Jesus taught us to show mercy to others. *Be a Good Samaritan every day.*

Prayer

Thank you, Jesus, for your parables. Help me be a Good Samaritan to others.

With My Family

Activity As a family, give comfort and assistance to a person or family in need.

Ready for the Sacraments Make a list of traits that describe Jesus, such as loving, faithful, and merciful. Remember those traits the next time you receive the Eucharist because in this sacrament we become like Jesus.

Family Prayer *Dear God, help us show Jesus' love to everyone we meet.*

* This word is taught with the Art Print. See page 189.

Compartimos la vida de Dios

Piensa en una buena decisión que hayas tomado. ¿Qué te ayudó a tomar esa buena decisión?

SESIÓN 22

Guiados por los dones de Dios

Dios nos ha dado la Iglesia y la Biblia. Estos dones nos enseñan la diferencia entre el bien y el mal. Nos ayudan a tomar una **decisión moral**.

Las personas importantes en nuestra vida nos pueden ayudar a tomar decisiones. Entre estas personas están familiares, maestros, catequistas y sacerdotes. Rezar al Espíritu Santo también nos guía a tomar buenas decisiones.

Oración

Querido Jesús, ayúdame a estar cerca de ti y a tomar buenas decisiones en todo lo que digo y hago.

We Share God's Life

Think of a good choice you have made. What helped you make the right choice?

Guided by God's Gifts

God has given us the Church and the Bible. These gifts teach us the difference between right and wrong. They help us make a **moral choice.**

The important people in our lives can help us when we make choices. These people include family members, teachers, catechists, and priests. Praying to the Holy Spirit also guides us in making good choices.

Prayer

Dear Jesus, help me stay close to you and make good choices in all I do and say.

Pasos para tomar buenas decisiones

Pide al Espíritu Santo que te ayude a tomar una buena decisión. Luego hazte estas preguntas antes de tomar una decisión importante:

1. ¿Es bueno lo que he decidido?
2. ¿Lo he decidido por las razones adecuadas?
3. ¿He decidido hacerlo en el momento y lugar adecuados?

Tu **conciencia** es tu sentido interior del bien y el mal. Escucha a tu conciencia. Deja que te guíe para hacer lo que es mejor.

Listos para los sacramentos

El sacramento de la Eucaristía nos une a todos en uno. Todas las personas en la iglesia no se conocen entre sí, pero son parte del mismo cuerpo —el Cuerpo de Cristo—. Eso significa que estamos llamados a amarnos y ayudarnos unos a otros como lo haría Jesús.

VE A LA PÁGINA 190

Steps for Making Good Choices

Ask the Holy Spirit to help you make a good choice. Then ask yourself these questions before making an important decision:

1. Is the thing I am choosing to do a good thing?
2. Am I choosing to do it for the right reasons?
3. Am I choosing to do it at the right time and in the right place?

Your **conscience** is your inner sense of right and wrong. Listen to your conscience. Let it guide you to do what is best.

Ready for the Sacraments

The Sacrament of the Eucharist joins us all together as one. All the people in the Church may not know one another, but they are all part of the same body—the Body of Christ. That means we are meant to love and to help one another as Jesus would.

GO TO PAGE 190

Oración

Buenas decisiones

El Espíritu Santo nos ayuda a tomar buenas decisiones. No siempre es fácil hacer lo correcto. Pero al acudir al Espíritu Santo podemos aprender a actuar como Dios quiere.

Piensa en una decisión difícil que hayas tenido que tomar. ¿Le pediste ayuda a alguien?

Ahora piensa en tu decisión. ¿Fue la decisión correcta? ¿Era eso lo que Dios quería que hicieras?

Dedica un momento a hablar con el Espíritu Santo. Dile cómo te sientes acerca de esa decisión.

Ahora pide al Espíritu Santo que te guíe la próxima vez que tengas que tomar una decisión difícil. Pídele que te ayude a tomar la decisión correcta.

Decidir como Jesús

Cuando tengas que tomar una decisión difícil piensa en lo que haría Jesús.

Decisiones morales

Escribe una **V** si el enunciado es verdadero. Escribe una **F** si el enunciado es falso.

1. _____ Jesús quiere que sigamos los Diez Mandamientos.

2. _____ Si escuchamos a nuestra conciencia haremos lo correcto.

3. _____ Tomar decisiones morales es siempre fácil.

Prayer

Good Choices

The Holy Spirit helps us make good choices. It is not always easy to do the right thing. By calling on the Holy Spirit, we can learn to act as God wants us to.

Think of a difficult choice you had to make. Did you ask anyone for help?

Now think about your choice. Was it the right thing to do? Was it what God wanted you to do?

Take a few moments to speak to the Holy Spirit. Tell him how you feel about your decision.

Now ask the Holy Spirit to guide you the next time you must make a difficult choice. Ask him to help you make the right decision.

Choosing Like Jesus

When you are faced with making a difficult choice, think about what Jesus would do.

Moral Choices

Write **T** if the sentence is true. Write **F** if the sentence is false.

1. _____ Jesus wants us to follow the Ten Commandments.

2. _____ If we listen to our conscience, we will do what is right.

3. _____ Making moral choices is always easy.

Resumen del tema

La Iglesia y la Biblia nos enseñan la diferencia entre el bien y el mal. Rezar al Espíritu Santo nos ayuda a tomar buenas decisiones.

Palabras que aprendí

conciencia   decisión moral

Maneras de ser como Jesús

Jesús siempre rezaba para pedir guía. *Pide al Espíritu Santo que te ayude a tomar una buena decisión hoy.*

Oración

Gracias, Dios, por todas las maneras en que me ayudas.

Con mi familia

Actividad Piensen en una organización de personas que haya tomado la decisión de ayudar a los demás. Ayuden a esta organización de la manera que puedan.

Listos para los sacramentos Antes de una comida en familia, pide que todos se tomen de las manos. Pídeles que se imaginen el amor que se tienen fluyendo alrededor del círculo. Expresen en una oración que siempre permanecerán unidos a Dios y entre ustedes.

Oración en familia Querido Dios, *ayúdanos a tomar buenas decisiones morales.*

Faith Summary

The Church and the Bible teach us the difference between right and wrong. Praying to the Holy Spirit helps us make the right choices.

Words I Learned

conscience   moral choice

Ways of Being Like Jesus

Jesus always prayed for guidance. *Ask the Holy Spirit to help you make a good choice today.*

Prayer

Thank you, God, for all of the ways you help me.

With My Family

Activity Think of an organization of people who have made a choice to help others. Help this organization in whatever way you can.

Ready for the Sacraments Before a family meal, ask everyone to hold hands. Ask your family to imagine the love you have for one another flowing around the circle. Say a prayer that you will always remain connected to God and to one another.

Family Prayer *Dear God, help us make good, moral choices.*

Seguir a Jesús

Piensa en alguna ocasión en que alguien fue bondadoso contigo. ¿Qué pensaste de esa persona? ¿Cómo influyó lo que hizo esa persona por ti en la manera en que quieres tratar a los demás?

SESIÓN 23

El Mandamiento Mayor

El **Antiguo Testamento** es la historia del amor de Dios por el pueblo judío. El **Nuevo Testamento** es la historia de la vida de Jesús. También nos habla de cómo las primeras comunidades cristianas vivían como Jesús.

En el Antiguo Testamento Dios entregó los Diez Mandamientos a Moisés. En el Nuevo Testamento Jesús nos dio el **Mandamiento Mayor.** Este mandamiento nos enseña cómo seguir a Dios y cuidar de los demás. Pensar en el Mandamiento Mayor nos ayuda a tomar decisiones morales. Tomamos la decisión correcta cuando amamos a Dios y a los demás.

Ama a Dios con todo tu corazón, con toda tu alma y con toda tu mente. Ama al prójimo como a ti mismo. Este es el mandamiento más importante.

adaptado de Mateo 22:37–38

Oración

Jesús, ayúdame a tratar a los demás con amor y bondad como lo haces tú.

Following Jesus

Think of a time when someone was kind to you. What did you think of this person? How did this person's actions make you want to treat others?

The Great Commandment

The **Old Testament** is the story of God's love for the Jewish people. The **New Testament** is the story of Jesus' life. It also tells how the early Church lived like Jesus.

In the Old Testament, God gave Moses the Ten Commandments. In the New Testament, Jesus gave us the **Great Commandment.** It teaches us how to follow God and to care for others. Thinking about the Great Commandment helps us make moral choices. We make the right choice when we love God and others.

> Love God with all your heart, soul, and mind. Love your neighbor as yourself. This is the greatest commandment.
>
> *adapted from Matthew 22:37–38*

Prayer

Jesus, help me treat others with love and kindness as you do.

Las Bienaventuranzas

Jesús nos enseñó las Bienaventuranzas porque quiere que seamos felices.

Jesús dijo: "Felices los que son bondadosos con los demás. Ellos serán recompensados".

"Felices los que obran bien aun cuando sea difícil. Ellos estarán con Dios".

"Felices los que tratan justamente a los demás. Ellos serán tratados con justicia".

"Felices los que trabajan por la paz. Ellos son los hijos de Dios".

adaptado de Mateo 5:1–10

Cuando Jesús nos dio las Bienaventuranzas, nos enseñó a ser felices tratándonos unos a otros con amor y bondad.

Listos para los sacramentos

Cuando alguien nos trata con amor nos ayuda a ser más cariñosos con los demás. Recibir el amor de Jesús en la Eucaristía nos ayuda a ser más cariñosos con los demás. Compartimos ese amor en nuestra casa, en la escuela y cuando jugamos.

VE A LA PÁGINA 191

The Beatitudes

Jesus wants us to be happy, so he taught us the Beatitudes.

Jesus said, "Blessed are those who are kind to others. They will be rewarded."

"Blessed are those who do the right thing even when it is difficult. They will be with God one day."

"Blessed are those who are fair to others. They will be treated fairly."

"Blessed are those who work for peace. They are God's children."

adapted from Matthew 5:1–10

When Jesus gave us the Beatitudes, hc taught us how to be happy by treating one another with love and kindness.

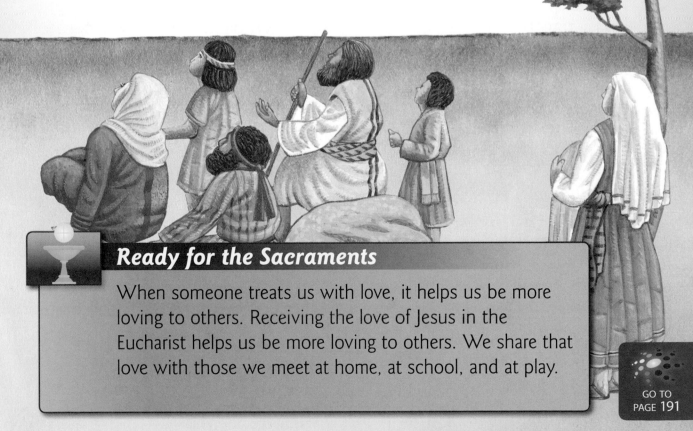

Ready for the Sacraments

When someone treats us with love, it helps us be more loving to others. Receiving the love of Jesus in the Eucharist helps us be more loving to others. We share that love with those we meet at home, at school, and at play.

GO TO PAGE 191

Oración

Tomar una decisión

Imagina que estás sentado en un banco en el centro de una ciudad. Estás pensando en una decisión que tienes que tomar.

Jesús y sus discípulos cruzan la calle y se sientan cerca de ti. Jesús está hablando con sus discípulos acerca de cómo vivir una vida feliz.

Jesús te invita a participar en la conversación. Tal vez le preguntas acerca de la decisión que tienes que tomar. Escuchas atentamente a Jesús. Él tiene las respuestas a tus preguntas. Siéntete en paz junto a Jesús y escucha lo que él quiere que sepas.

Vivir en paz

Las Bienaventuranzas nos enseñan a vivir en paz unos con otros.

Hacer lo que nos enseña Jesús

En una hoja de papel aparte, escribe una decisión que responda a las Bienaventuranzas:

Dos niños se pelean en el área de juegos. David y otros niños se detienen a mirarlos.

Conoce a un santo

Santa Elizabeth Ann Seton siempre encontró tiempo para ayudar a los demás. Fundó la primera escuela católica de los Estados Unidos. Elizabeth Ann Seton fue la primera persona de origen estadounidense nombrada santa.

Prayer

Making a Choice

Imagine you are sitting on a bench in the middle of a city. You are thinking about a choice you must make.

Jesus and his disciples cross the street and sit near you. Jesus is speaking with his disciples about how to live a happy life.

Jesus invites you to join in their conversation. Perhaps you ask him about the choice you need to make. You stay with Jesus quietly, listening to his words. He has the answers to your questions. Be at peace with Jesus. Listen to what he wants you to know.

Live in Peace

The Beatitudes teach us how to live in peace with others.

Doing What Jesus Teaches

On a separate sheet of paper, write a choice that follows the Beatitudes.

Two children get into a fight on the playground. David and some other children stop and watch.

Meet a Saint

Saint Elizabeth Ann Seton always found time to help others. She started the first Catholic grade school in the United States. Elizabeth Ann Seton was the first American-born person to be named a saint.

Resumen del tema

En el Mandamiento Mayor Jesús nos dice que amemos a Dios y a los demás. Jesús nos dio las Bienaventuranzas para ayudarnos a vivir una vida feliz.

Palabras que aprendí

Mandamiento Mayor
Nuevo Testamento
Antiguo Testamento

Maneras de ser como Jesús

Jesús trabajó por la paz. *Haz las paces hoy con alguien a quien hayas lastimado.*

Oración

Gracias, Jesús, por las Bienaventuranzas. Ayúdame a vivirlas cada día.

Con mi familia

Actividad Lleven cuenta de las decisiones que toman esta semana. ¿Qué les ayuda a decidir cómo actuar?

Listos para los sacramentos Cuando se reúnan para una cena familiar, pregúntense: "¿A quién has ayudado hoy?". Esta pregunta nos recordará que no vivimos únicamente para nosotros sino que estamos llamados a llevar el amor de Dios al mundo.

Oración en familia *Querido Dios, ayúdanos a mostrarnos unos a otros tu amor esta semana.*

Faith Summary

In the Great Commandment, Jesus told us to love God and others. Jesus gave us the Beatitudes to help us live a happy life.

Words I Learned

Great Commandment
New Testament
Old Testament

Ways of Being Like Jesus

Jesus worked for peace. *Make peace today with someone you hurt.*

Prayer

Thank you, Jesus, for the Beatitudes. Help me to live them every day.

With My Family

Activity Keep track of the choices you make this week. What helps you decide how to act?

Ready for the Sacraments When you gather for a family meal, ask "Whom did you help today?" This question will remind us that we live not only for ourselves, but that we are meant to bring God's love to the world.

Family Prayer *Dear God, help us show your love to one another this week.*

Tomar decisiones

Piensa en alguna ocasión en que alguien jugó con tus juguetes. ¿Te respetó a ti y respetó tus cosas? ¿Cómo puedes respetar a los demás?

Una comunidad de creyentes

Pedro quería enseñar a los cristianos acerca del plan de Dios para ellos. Por eso escribió una carta:

Pedro escribió: "Quienquiera que ame su vida, no debe mentir ni decir cosas malas. Apártense del mal y hagan el bien. Busquen la paz y tráiganla al mundo".

adaptado de 1 Pedro: 3:10–11

Oración

Jesús, tú quieres que todos vivamos en paz. Enséñame cómo ser respetuoso con los demás.

Making Choices

Think of a time when someone played with your toys. Did this person respect you and your belongings? How can you respect others?

A Community of Believers

Peter wanted to teach Christians about God's plan for them. So he wrote a letter.

> Peter wrote, "Whoever loves their life should not tell lies or say evil things. Do what is right and stay away from evil. Bring peace into the world."
>
> *adapted from 1 Peter 3:10–11*

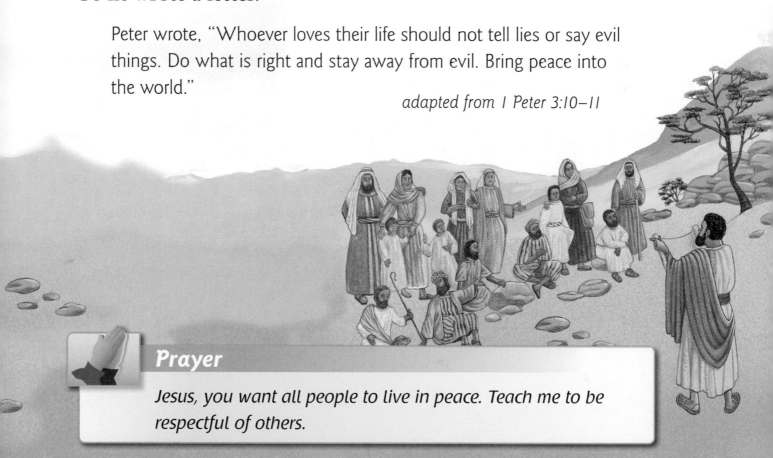

Prayer

Jesus, you want all people to live in peace. Teach me to be respectful of others.

Vivir en bondad

Dios quiere que seamos **los que trabajan por la paz** y que vivamos en bondad. Él quiere que seamos bondadosos los unos con los otros y que disfrutemos de la bondad que los demás nos brindan.

Cuando robamos, mentimos o decimos cosas crueles sobre alguien, estamos pecando. Dios quiere que seamos capaces de compensar lo que hemos hecho. Pedimos perdón. Devolvemos lo robado. Dejamos de decir cosas ofensivas. Solo entonces podemos vivir en bondad como Dios quiere que vivamos.

Bondad

Listos para los sacramentos

A medida que nos hacemos más como Jesús lo seguimos más de cerca. Tomamos decisiones basadas en lo que sabemos que Jesús quiere para el mundo. Él quiere que ayudemos a los demás y que nos mantengamos cerca de Dios Padre en oración.

VE A LA PÁGINA 192

Living in Kindness

God wants us to be **peacemakers** and to live in kindness. He wants us to be kind to one another and to enjoy the kindness others show us.

When we steal, lie, or say unkind things, we sin. God wants us to make up for what we have done. We ask for forgiveness. We return what was stolen. We stop saying hurtful things. Then we can live in kindness as God wants us to.

Ready for the Sacraments

As we become more like Jesus, we follow him more closely. We make choices based on what we know Jesus wants for the world. He wants us to help others and to stay close to God the Father in prayer.

GO TO PAGE 192

Oración

Tiempo en silencio con Jesús

Imagina que estás tu solo sentado en silencio. En ese momento se te acerca Jesús.

Empiezas a hablarle sobre cómo te has acercado más a él este año. Tal vez quieras hablar de los momentos tristes y alegres que has tenido. Sabes que puedes compartir con Jesús lo que quieras.

Puedes pedirle cualquier cosa que necesites.

Quédate un rato escuchando a Jesús. Habla con él desde tu corazón. Escucha lo que él quiere que sepas.

Respetar a los demás

¿Cómo puedes mostrar respeto a los demás en casa, en la escuela y en tu comunidad?

Mostrar respeto

Escribe una **R** si la persona está actuando de manera respetuosa. Escribe **NR** si la persona está actuando de una manera no respetuosa.

1. _____ Iván se burla del corte de pelo de Mónica.

2. _____ María limpia la bicicleta de su hermana antes de devolvérsela.

Conexión con la liturgia

El **Rito de la Paz** en la misa es una manera de mostrar nuestro respeto hacia los demás.

Quiet Time with Jesus

Imagine you are sitting quietly by yourself. As you sit there, Jesus walks up to you.

You begin talking to Jesus about how you have grown closer to him this year. Maybe you talk about the happy and sad times you have had. Know that you can share whatever you want with Jesus.

You can ask him for whatever you need.

Spend some quiet time listening to Jesus. Talk to him from your heart. Listen to what he wants you to know.

Respecting Others

How can you show respect to others at home, in school, and in your community?

Showing Respect

Write **R** if the person is being respectful. Write **NR** if the person is not being respectful.

1. _____ Ivan makes fun of Monica's haircut.

2. _____ Maria cleans her sister's bike after borrowing it.

Link to Liturgy

The **sign of peace** at Mass is one way we show respect for others.

Resumen del tema

Jesús nos enseña a respetar a las personas y a hacer las paces. Seremos felices si mostramos bondad en nuestras palabras y forma de actuar.

Palabras que aprendí

los que trabajan por la paz
Rito de la Paz

Maneras de ser como Jesús

Jesús respetó a todas las personas. *Muestra respeto con tus palabras y forma de comportarte.*

Oración

Gracias, Jesús, por todo lo que me has enseñado. Ayúdame a respetar a todas las personas que conozco.

Con mi familia

Actividad Conversen en familia sobre cómo pueden mostrarse respeto unos a otros y qué deben hacer para vivir juntos en paz.

Listos para los sacramentos Algunas veces nos sentimos tentados a ser mejores o más populares que los demás. Jesús nos ofrece otra visión de la vida, una visión que nos ayuda a reconocer los dones de los demás y que celebra quiénes somos y a quién pertenecemos —a Dios nuestro Padre amoroso—.

Oración en familia *Querido Dios, ayúdanos a hablar y comportarnos de forma respetuosa en casa.*

Faith Summary

Jesus teaches us to respect people and to make peace. We will be happy if we show kindness in our words and actions.

Words I Learned

peacemaker
sign of peace

Ways of Being Like Jesus

Jesus respected everyone. *Show respect in your words and deeds.*

Prayer

Thank you, Jesus, for all you have taught me. Help me to respect everyone I meet.

With My Family

Activity Discuss with your family how you can show respect for one another and what you can do to live peacefully together.

Ready for the Sacraments Sometimes we are tempted to be better or more popular than others. Jesus offers another vision of life, one that helps us recognize others' gifts, and celebrates who we are and who we belong to—God our loving Father.

Family Prayer Dear God, help us use respectful words and actions in our home.

Celebrando la Pascua

El día de Pascua de Resurrección es el más importante del año litúrgico. Se celebra el primer domingo después de la primera luna llena de la primavera. El tiempo de Pascua comienza con la celebración de la Vigilia Pascual el Sábado Santo y continúa los siguientes 50 días, hasta que termina el Domingo de Pentecostés.

Mosaico de piedra de Jesús resucitado

Oración

Jesús resucitado, estás vivo y con nosotros. Ayúdame a ser feliz y alegrarme.

Celebrating Easter

Easter is the most important day of the Church year. It is celebrated on the first Sunday after the first full moon of spring. The Easter season begins with the celebration of the Easter Vigil on Holy Saturday and continues for the next 50 days, ending on Pentecost Sunday.

Stone mosaic of the resurrected Jesus

Prayer

Risen Jesus, you are alive and with us. Help me be glad and rejoice.

Durante la Pascua de Resurrección meditamos

La Pascua es un tiempo para meditar sobre el don de la **vida eterna**. Jesús murió en la cruz por nuestros pecados. Resucitó de entre los muertos y regresó al cielo para guardarnos un lugar a todos nosotros.

¿Cómo será el cielo?

¿Por qué es tan especial?

La vida eterna en el cielo

Imagina el cielo. Haz un dibujo sobre lo que ves, escuchas y sientes.

Leyendo la Palabra de Dios

Les doy vida eterna para que vivan para siempre, aun si mueren.

adaptado de Juan 10:28

We Reflect During Easter

Easter is a time to reflect on the gift of **eternal life.** Jesus died on the cross for our sins. He rose from the dead and returned to Heaven to hold a place for all of us.

What will Heaven be like?

Why is it so special?

Eternal Life in Heaven

Imagine Heaven. Draw a picture about what you see, hear, and feel.

Reading God's Word

I give them eternal life, so they will always live, even if they die.   *adapted from John 10:28*

La misa durante la Pascua de Resurrección

En la misa durante la Pascua posiblemente escuches música alegre. La parroquia se alegra porque Jesús ha resucitado. ¿En qué se diferencia la misa del Domingo de Pascua de otras celebraciones dominicales?

Lo que vivimos

Si miras alrededor en tu iglesia puede que veas hermosas flores de Pascua. También verás una cruz revestida en un paño blanco. Esto nos recuerda que Jesús ha resucitado.

Colorea tu propio símbolo de resurrección abajo.

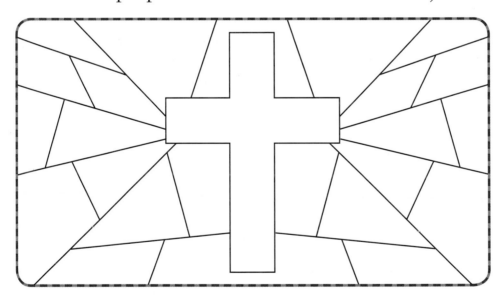

Listos para los sacramentos

Los sacramentos son maneras en que Jesús se acerca a nosotros. En el Bautismo nos convertimos en miembros de la familia de Dios. En el sacramento de la Reconciliación Jesús perdona nuestros pecados y sana nuestros corazones. En la Eucaristía Jesús elige vivir en nosotros y fortalecernos para que llevemos su amor al mundo.

VE A LA
PÁGINA 193

Mass During Easter

At Mass during Easter, you may hear joyful music. The parish rejoices that Jesus is risen. How does Easter Sunday Mass at your church feel different from other Sunday celebrations?

What We Experience

When you look around your church, you may see beautiful Easter flowers. You may also see a cross draped with a white cloth. This reminds us that Jesus is risen.

Color your own Resurrection symbol below.

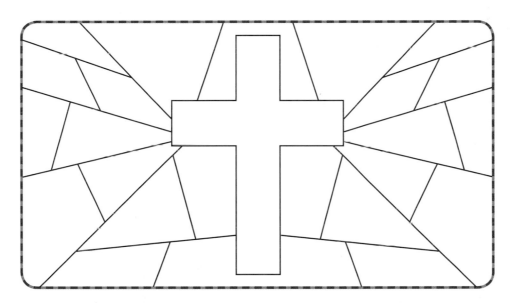

Ready for the Sacraments

The sacraments are ways that Jesus comes close to us. In Baptism we become members of God's family. In the Sacrament of Reconciliation, Jesus forgives our sins and heals our hearts. In the Eucharist, Jesus chooses to live within us, strengthening us to bring his love to the world.

GO TO
PAGE 193

Resumen del tema

La Pascua de Resurrección es un tiempo de gran alegría. Recordamos que Jesús ha resucitado. También es un tiempo para meditar sobre el don de la vida eterna.

Palabras que aprendí

vida eterna

Maneras de ser como Jesús

La nueva vida de Jesús nos llena de alegría.
Transmite alegría a aquellos con quien te encuentres hoy.

Oración

Querido Jesús, gracias por el don de la vida eterna. Ayúdame a vivir con fe y esperanza.

Con mi familia

Actividad Cuando vayan a misa durante la Pascua, miren a su alrededor en la iglesia. Conversen acerca de lo que vean y escuchen.

Listos para los sacramentos Habla sobre lo que significan para ti las cenas en familia. Di a tu familia que el tiempo que dedican a estar juntos en la mesa te puede ayudar a prepararte para celebrar y vivir los sacramentos —dones de Dios que nos traen vida abundante—.

Oración en familia Invita a miembros de tu familia a rezar juntos el Rosario durante la Pascua.

Faith Summary

Easter is a time of great joy. We remember that Jesus is risen. It is also a time to reflect on the gift of eternal life.

Words I Learned

eternal life

Ways of Being Like Jesus

Jesus' new life fills us with joy. *Spread joy to those you meet today.*

Prayer

Dear Jesus, thank you for the gift of eternal life. Help me live with faith and hope.

With My Family

Activity When you go to Mass during Easter, look around your church. Talk about what you see and hear.

Ready for the Sacraments Discuss what your family meals together mean to you. Tell your family that the time you spend together around the table can help you prepare to celebrate and live out the sacraments—gifts from God that bring abundant life.

Family Prayer Invite family members to pray the Rosary together during Easter.

El año en nuestra Iglesia

Calendario litúrgico

El calendario litúrgico nos muestra las fiestas y tiempos del año de la Iglesia.

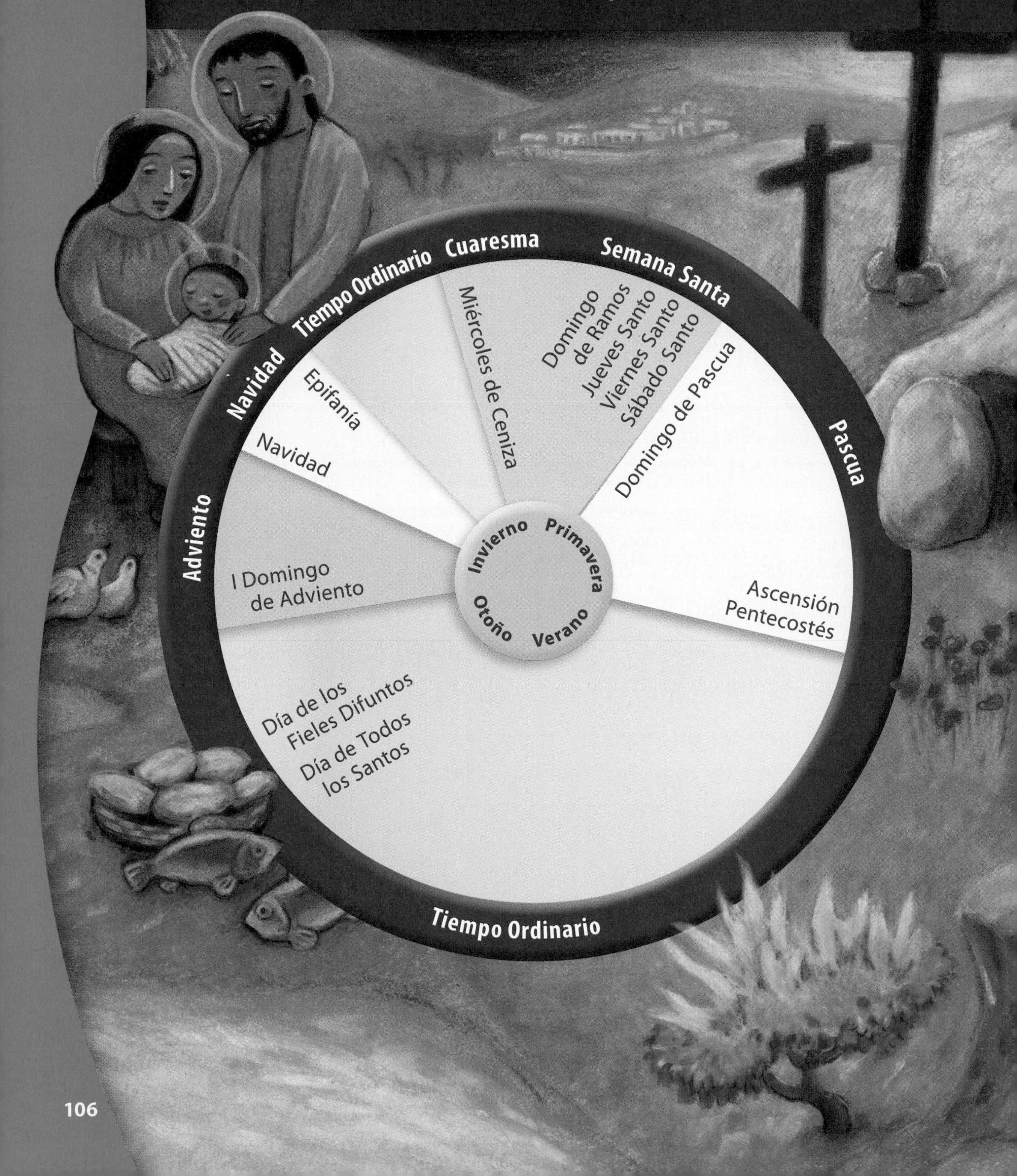

Tiempo Ordinario

Cuaresma

Semana Santa

Miércoles de Ceniza

Domingo de Ramos
Jueves Santo
Viernes Santo
Sábado Santo

Domingo de Pascua

Navidad

Epifanía

Navidad

Pascua

Adviento

I Domingo de Adviento

Invierno Primavera
Otoño Verano

Ascensión
Pentecostés

Día de los Fieles Difuntos
Día de Todos los Santos

Tiempo Ordinario

The Year in Our Church

Liturgical Calendar

The liturgical calendar shows us the feasts and seasons of the Church year.

Ordinary Time

Lent

Holy Week

Ash Wednesday

Palm Sunday
Holy Thursday
Good Friday
Holy Saturday

Easter Sunday

Easter

Christmas

Epiphany

Christmas

Advent

First Sunday of Advent

Winter

Spring

Fall

Summer

Ascension
Pentecost

All Souls Day
All Saints Day

Ordinary Time

106

Año litúrgico

Durante el **Adviento** preparamos nuestros corazones para recibir a Jesús.

La **Navidad** celebra el nacimiento de Jesús. La Epifanía celebra la venida de Jesús para todas las personas del mundo.

La **Cuaresma** nos prepara para la Pascua de Resurrección. Es un tiempo para hacer más obras buenas por los demás.

Durante la **Semana Santa** recordamos el sufrimiento y la muerte de Jesús.

En la **Pascua de Resurrección** celebramos con alegría que Jesús resucitó de entre los muertos.

Pentecostés es la festividad de la venida del Espíritu Santo para guiar a la Iglesia.

El **Día de Todos los Santos** celebra a todos los santos que murieron y que ahora viven con Dios en el cielo.

El **Tiempo Ordinario** es un tiempo dedicado a vivir nuestra vida cotidiana como seguidores de Jesús.

Liturgical Year

We get our hearts ready to welcome Jesus during **Advent.**

Christmas celebrates Jesus' birth. The Epiphany celebrates Jesus' coming for all people of the world.

Lent prepares us for Easter. It is a time to do extra good deeds.

During **Holy Week** we remember the suffering and Death of Jesus.

On **Easter** we recall with joy Jesus' rising from the dead.

Pentecost is the feast of the Holy Spirit's coming to guide the Church.

All Saints Day celebrates all the holy people who died and now live with God in Heaven.

Ordinary Time is time set aside for everyday living as followers of Jesus.

Adviento

En Adviento nos preparamos para celebrar el nacimiento de Jesús. Hace mucho tiempo, san Juan Bautista ayudó a la gente a prepararse para recibir a Jesús.

Oración

Querido Dios, ayúdame a rezar y a compartir en este Adviento.

Advent

We get ready to celebrate Jesus' birth in Advent. A long time ago, Saint John the Baptist helped people get ready for Jesus.

Prayer

Dear God, help me this Advent to pray and to share.

Prepararnos para el nacimiento de Jesús

Algunas veces es difícil esperar. Cuando vamos a tener una fiesta de cumpleaños, nos preparamos. Después esperamos y esperamos. Estamos emocionados. La celebración empieza cuando llegan nuestros invitados.

Durante el Adviento nos preparamos para celebrar el nacimiento de Jesús. El Adviento es nuestro tiempo de espera.

Esperando a Jesús

La gente preguntaba a Juan el Bautista cómo debían prepararse para Jesús. Juan les decía que compartieran y se ayudaran los unos a los otros. Les decía que fueran honestos y que no tomaran nada que no les perteneciera.

adaptado de Lucas 3:10–14

Preparing for Jesus' Birth

Sometimes it is hard to wait. When we have a birthday party, we get ready. Then we wait and wait. We are excited. We celebrate when our birthday guests arrive.

During Advent we get ready to celebrate the birth of Jesus. Advent is our time of waiting.

Waiting for Jesus

People asked John the Baptist how to get ready for Jesus. John told the people to share and to help one another. He told them to be honest. He told them not to steal from one another.

adapted from Luke 3:10–14

La corona de Adviento

La corona de Adviento tiene cuatro velas, tres moradas y una rosada. Hay una vela por cada una de las cuatro semanas de Adviento. Durante el tiempo de Adviento nos preparamos para celebrar el nacimiento de Jesús. Rezamos y hacemos buenas obras por los demás. Eso fue lo que Juan el Bautista le dijo a la gente que hiciera.

Dar la bienvenida a Jesús

Haz un dibujo que muestre cómo te preparas en casa para el nacimiento de Jesús.

The Advent Wreath

The Advent wreath has four candles—three purple and one pink. There is one candle for each of the four weeks of Advent. During Advent we prepare to celebrate Jesus' birth. We pray and do good deeds for others. This is what John the Baptist told the people to do.

Welcoming Jesus

Draw a picture that shows how you prepare at home for Jesus' birth.

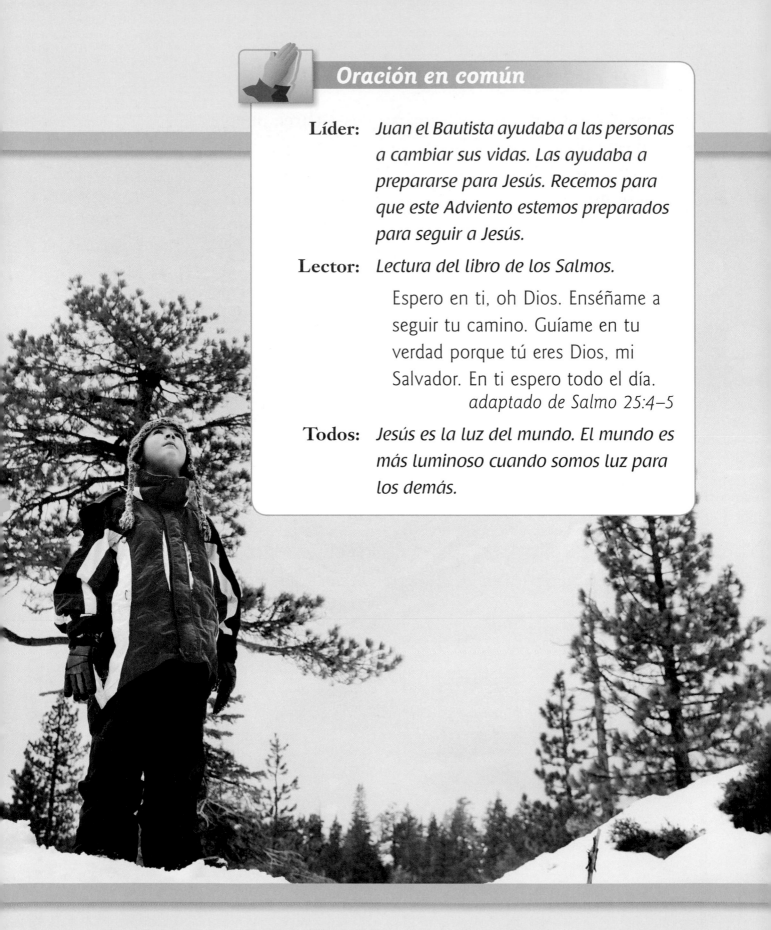

Oración en común

Líder: *Juan el Bautista ayudaba a las personas a cambiar sus vidas. Las ayudaba a prepararse para Jesús. Recemos para que este Adviento estemos preparados para seguir a Jesús.*

Lector: *Lectura del libro de los Salmos.*

Espero en ti, oh Dios. Enséñame a seguir tu camino. Guíame en tu verdad porque tú eres Dios, mi Salvador. En ti espero todo el día.
adaptado de Salmo 25:4–5

Todos: *Jesús es la luz del mundo. El mundo es más luminoso cuando somos luz para los demás.*

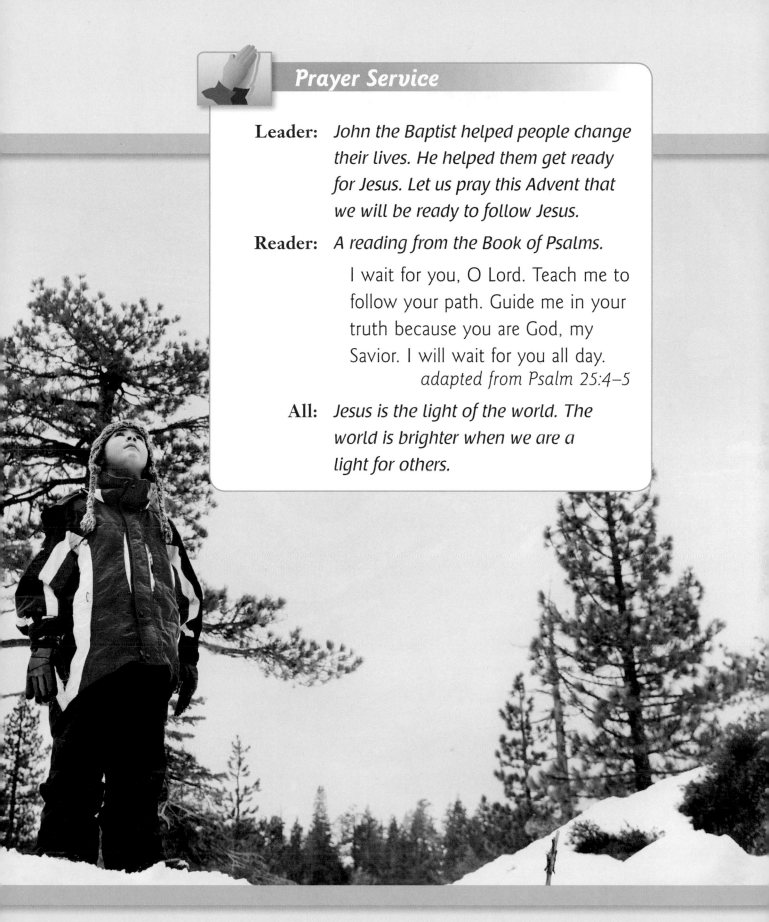

Prayer Service

Leader: *John the Baptist helped people change their lives. He helped them get ready for Jesus. Let us pray this Advent that we will be ready to follow Jesus.*

Reader: *A reading from the Book of Psalms.*

I wait for you, O Lord. Teach me to follow your path. Guide me in your truth because you are God, my Savior. I will wait for you all day.
adapted from Psalm 25:4–5

All: *Jesus is the light of the world. The world is brighter when we are a light for others.*

Navidad

Los tres Reyes Magos viajaron desde muy lejos para encontrar a Jesús. Querían rendirle homenaje.

Oración

Jesús, mi Salvador, ayúdame a ser un don para los demás como tú lo eres para mí.

Christmas

The three Wise Men traveled far to find Jesus. They wanted to honor him.

Prayer

Jesus, my Savior, help me be a gift to others as you are to me.

Los tres Reyes Magos

Los Reyes Magos buscaban al nuevo rey. Querían adorarle. Vieron su estrella.

La estrella guió a los Reyes Magos a Belén. Allí vieron a Jesús con María y José. Regalaron a Jesús oro, incienso y mirra.

Después, los Reyes Magos regresaron a su casa.

adaptado de Mateo 2:1–12

Los regalos de los Reyes Magos

Oro, incienso y mirra eran regalos muy especiales. Los Reyes Magos le dieron estos regalos a Jesús porque sabían que él era especial. Podemos ser como los Reyes Magos y también hacer a Jesús especial en nuestras vidas.

The Three Wise Men

The Wise Men were looking for the new king. They wanted to worship him. They saw his star.

The star led the Wise Men to Bethlehem. There they saw Jesus with Mary and Joseph. They gave Jesus gifts of gold, frankincense, and myrrh.

The Wise Men then returned home.

adapted from Matthew 2:1–12

The Wise Men's Gifts

Gold, frankincense, and myrrh were very special gifts. The Wise Men gave these gifts to Jesus because they knew he was special. We can be like the Wise Men by making Jesus special in our lives too.

Jesús, nuestro don

Jesús es un don de Dios para nosotros. Él nos enseña cómo ser dones para los demás. Podemos hacerlo al traer el amor de Jesús al mundo.

Podemos respetar a aquellos que no son ricos ni famosos. Podemos ser amigos de los niños que no tienen muchos amigos. Podemos traer alegría a alguien que está enfermo. Cuando hacemos estas cosas, somos dones para los demás.

Dar un regalo especial

Llena la tarjeta que va con el regalo. Después, escribe en las líneas sobre cómo vas a ofrecerte a hacer algo por alguien esta Navidad.

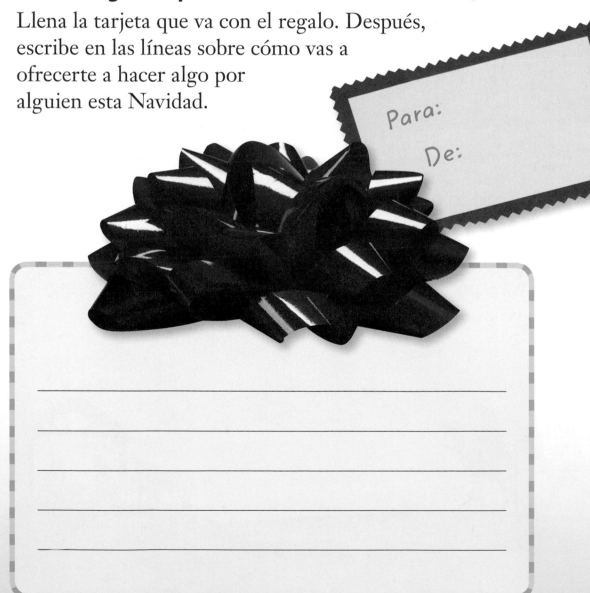

Para:

De:

Jesus, Our Gift

Jesus is God's gift to us. He teaches us how to be gifts to others. We can do this by bringing Jesus' love into the world.

We can respect those who are not popular or rich. We can be friends to children who do not have many friends. We can bring cheer to someone who is ill. When we do these things, we are being gifts to others.

Give a Special Gift

Fill out the gift tag. Then on the lines below, tell about a gift of yourself that you will give someone this Christmas.

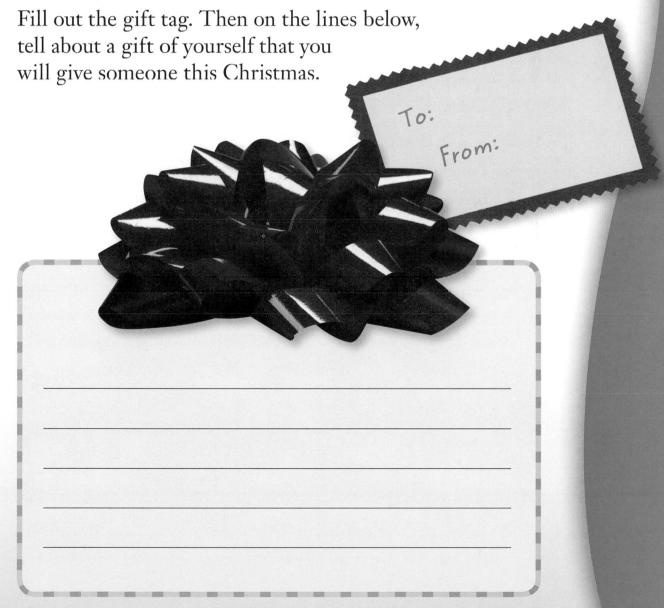

To:

From:

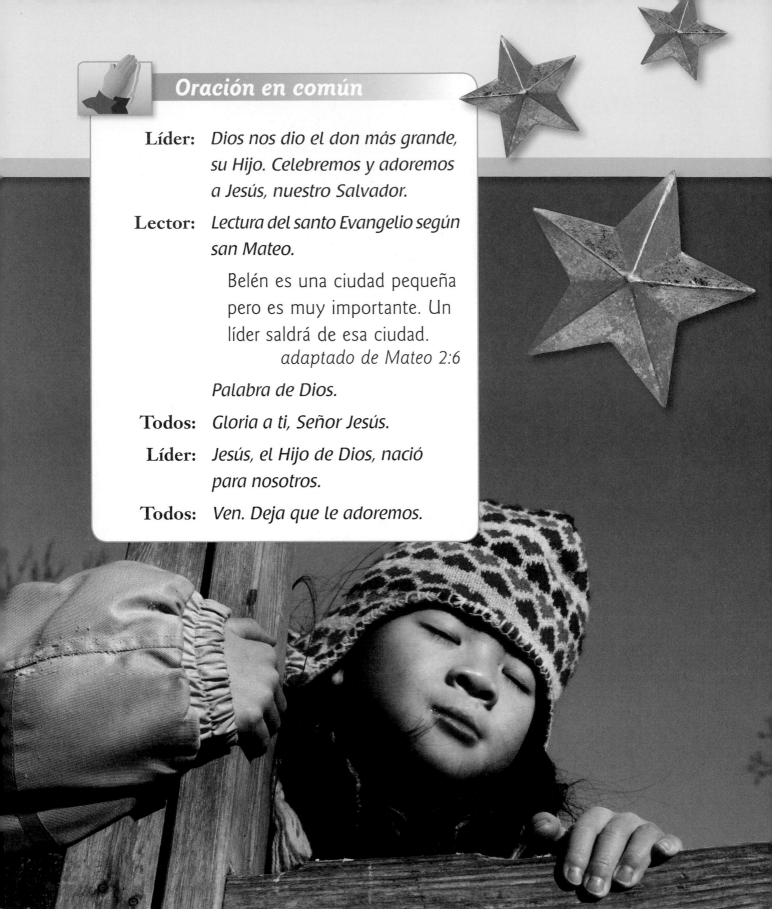

Líder: *Dios nos dio el don más grande, su Hijo. Celebremos y adoremos a Jesús, nuestro Salvador.*

Lector: *Lectura del santo Evangelio según san Mateo.*

Belén es una ciudad pequeña pero es muy importante. Un líder saldrá de esa ciudad.
adaptado de Mateo 2:6

Palabra de Dios.

Todos: *Gloria a ti, Señor Jesús.*

Líder: *Jesús, el Hijo de Dios, nació para nosotros.*

Todos: *Ven. Deja que le adoremos.*

Prayer Service

Leader: *God gave us the greatest gift, his Son. Let us rejoice and adore Jesus, our Savior.*

Reader: *A reading from the holy Gospel according to Matthew.*

Bethlehem is a small town, but it is very important. A ruler will come from this town.
adapted from Matthew 2:6

The Gospel of the Lord.

All: *Praise to you, Lord Jesus Christ.*

Leader: *Jesus, God's Son, is born for us.*

All: *Come, let us adore him.*

Cuaresma

Jesús ama a los niños. Les dice a sus discípulos que sean como niños.

Oración

Jesús, mi amigo, enséñame en esta Cuaresma a vivir como hijo de Dios. Quiero amar a Dios como lo amas tú.

Lent

Jesus loves little children. He tells his disciples to be like children.

Prayer

Jesus, my friend, teach me this Lent how to live as a child of God. I want to love God as you do.

Depender de Jesús

Los discípulos le preguntaron a Jesús: "¿Quién es el más grande en el Reino de los Cielos?". Jesús llamó a un niño para que los acompañara.

Jesús dijo: "Ustedes deberán ser como este niño. Entonces vivirán con Dios en el cielo".

adaptado de Mateo 18:1–4

Dependemos de Dios

Los padres ayudan a sus hijos. Los niños dependen de sus padres y de otros adultos que los cuidan. Todos somos hijos de Dios. Dios nos quiere ayudar. Necesitamos la ayuda de Dios.

Depending on Jesus

The disciples asked Jesus, "Who is the greatest in the Kingdom of Heaven?" Jesus called a child to come join them.

He said, "You must become like this child. Then you will live with God in Heaven."

adapted from Matthew 18:1–4

We Depend on God

Parents reach out to help their children. Children depend on their parents and other adults who care for them. We are all God's children. God reaches out to us. We need God's help.

Cambiar

Jesús pidió a sus discípulos que cambiaran sus vidas. La Cuaresma es un tiempo para cambiar. Nos hacemos preguntas como: ¿Cómo puedo ayudar a los demás? ¿Cómo puedo estar más cerca de Dios? ¿Cómo puedo parecerme más a Jesús?

El Miércoles de Ceniza se nos marca la frente con ceniza. Es entonces cuando le decimos a Dios cómo cambiaremos nuestra vida durante la Cuaresma. Esta ceniza nos recuerda que seguimos a Jesús.

Cambiar para mejorar

¿Cómo puedes hacer algo bueno de una mala situación? Conecta con líneas las fotos de la primera fila con sus correspondientes en la segunda fila.

Making Changes

Jesus asked his disciples to change their lives. Lent is a time for change. We ask ourselves questions: How can I help others? How can I stay close to God? How can I be more like Jesus?

We receive ashes on our forehead on Ash Wednesday. This is when we tell God how we will change our lives during Lent. These ashes remind us that we follow Jesus.

Changing for the Better

What could you do to make the bad situations good? Draw a line to connect each box on the top row with its matching box on the bottom row.

Oración en común

Líder: *Comencemos nuestra oración con la Señal de la Cruz.*

Jesús nos enseñó cómo rezar a Dios nuestro Padre. Digamos a Jesús que le vamos a escuchar y a seguir.

Lector: *Lectura del libro de los Salmos.*

El Señor ama a quienes odian el mal. Protege la vida de sus fieles. Los rescata del malvado. Si eres justo y honesto, Dios estará contigo.

adaptado de Salmo 97:10–11

Líder: *Concluyamos rezando juntos el Padrenuestro.*

Prayer Service

Leader: *Let us begin our prayer with the Sign of the Cross.*

Jesus taught us how to pray to God our Father. Let us tell Jesus that we will listen to him and follow him.

Reader: *A reading from the Book of Psalms.*

God loves those who hate evil. He protects those who are faithful. He rescues them from the wicked. If you are fair and honest, God will be with you.

adapted from Psalm 97:10–11

Leader: *Let us close by praying the Lord's Prayer together.*

Semana Santa

Jesús era bueno y amoroso con todos. Rezaba por sus enemigos. ¿Cómo puedes parecerte a Jesús durante la Semana Santa?

Oración

Jesús, mi guía, ayúdame a perdonar a los que me hacen daño.

Quiero amar a los demás como lo hiciste tú.

Holy Week

Jesus was kind and loving to everyone. Jesus prayed for his enemies. How can you be like Jesus during Holy Week?

Prayer

Jesus, my helper, help me forgive those who hurt me. I want to love others as you did.

El gran amor de Jesús

Jesús estaba hablando con sus amigos cuando llegó una multitud al lugar. Un juez y su siervo eran parte del grupo. Venían a detener a Jesús.

Los amigos de Jesús corrieron a ayudarle. Uno de ellos cortó una oreja al siervo del juez. Jesús dijo a su amigo que parara. Tocó la oreja del siervo y la sanó.

adaptado de Lucas 22:47–51

Jesus' Great Love

Jesus was talking to his friends when a crowd arrived. A judge and his servant were part of the crowd. They came to arrest Jesus.

Jesus' friends rushed to help him. One of them cut the ear of the judge's servant. Jesus told his friend to stop. Jesus touched the servant's ear, and it was healed.

adapted from Luke 22:47–51

Actuamos como Jesús

Jesús sabía que iba a ser detenido. Aun así quiso tender su mano sanadora a sus enemigos. Jesús no quiso vengarse sino que mostró amor.

Estamos llamados a ser como Jesús. No debemos hacer daño ni de obra ni de palabra a quienes no nos brindan su amistad. Podemos mostrarles amor al rezar y ser buenos con ellos.

Seguimos el ejemplo de Jesús

Escribe obras de amor que harás durante la Semana Santa para parecerte más a Jesús.

We Act Like Jesus

Jesus knew he would be arrested. Still, he reached out with a healing touch to his enemies. Jesus did not try to get even. He showed love instead.

We are called to be like Jesus. We are not to harm by word or deed those who do not like us. We can show love by praying for them and by being kind.

We Follow Jesus' Example

Write acts of love you will do during Holy Week to be like Jesus.

Líder: *Jesús fue una persona amorosa aun en el momento de su arresto. Escuchemos lo que nos dice Jesús acerca de amar a los demás.*

Lector: *Lectura del santo Evangelio según san Mateo.*

Ustedes han oído decir a la gente: "Amarás a tu prójimo y odiarás a tu enemigo". Pero yo les digo que amen a sus enemigos. Recen por quienes les hacen daño. Entonces serán hijos de Dios.

adaptado de Mateo 5:43–45

Palabra de Dios.

Todos: *Gloria a ti, Señor Jesús.*

Líder: *Recordemos que Jesús quiere que mostremos su amor mientras rezamos la Señal de la Cruz.*

Prayer Service

Leader: *Jesus was a loving person even when he was about to be arrested. Let us listen to what Jesus tells us about loving others.*

Reader: *A reading from the holy Gospel according to Matthew.*

You have heard people say, "You shall love your friend and hate your enemy." But I say that you should love your enemy. You should pray for those who hurt you. Then you will be children of God.

adapted from
Matthew 5:43–45

The Gospel of the Lord.

All: *Praise to you, Lord Jesus Christ.*

Leader: *Let us remember that Jesus wants us to show his love as we pray the Sign of the Cross.*

Pascua

La Pascua de Resurrección es un tiempo de alegría. Celebramos que Jesús ha resucitado.

Oración

Querido Jesús, ayúdame a ser una persona alegre. Quiero ayudar a los demás a sentirse alegres también.

Easter

Easter is a joyful time. We celebrate that Jesus is risen.

Prayer

Dear Jesus, help me be a person of joy. I want to help others be joyful too.

Buscando a Jesús

María Magdalena y otras mujeres fueron al sepulcro de Jesús. Llevaban perfumes para ungir su cuerpo. Cuando llegaron el sepulcro estaba vacío. Un ángel estaba allí y les dijo: "Vayan a decir a sus discípulos que Jesús ha resucitado. Él los encontrará".

adaptado de Marcos 16:1–7

Encontrar a Jesús en los demás

Las mujeres que fueron al sepulcro eran seguidoras de Jesús. El mensaje del ángel quería decir que los discípulos encontrarían a Jesús en las personas a quienes sirvieran.

Encontramos a Jesús en nuestras vidas cuando ayudamos a los demás. ¿Quiénes son las personas a las que podemos amar y servir?

Looking for Jesus

Mary Magdalene and other women went to Jesus' tomb. They brought spices to put on his body. When they got there, the tomb was empty. An angel was there. The angel said to them, "Go and tell the disciples that Jesus is risen. He will meet them."

adapted from Mark 16:1–7

Meeting Jesus in Others

The women at the tomb were followers of Jesus. The angel's message meant that the disciples would meet Jesus in the people they would serve.

We meet Jesus in our lives when we help others. Who are the people we can love and serve?

Domingo, el día del Señor

El domingo, el día del Señor, celebramos la Resurrección. Este día celebramos que Jesús resucitó de entre los muertos.

Amar y servir a los demás

Escribe maneras en que puedes amar y servir a los demás. Esas son maneras de encontrar a Jesús en tu vida.

_____

_____

_____

_____

_____

_____

_____

Sunday, the Lord's Day

We celebrate the Resurrection on Sunday, the Lord's Day. On this day we remember that Jesus rose from the dead.

Loving and Serving Others

Write ways you love and serve others. These are ways you meet Jesus in your life.

Oración en común

Líder: *Encontramos a Jesús en aquellos que amamos y servimos. Encontramos a Jesús de manera especial en la misa. Alegrémonos de que el Señor está con nosotros.*

Lectura del Libro de Salmos.

Grupo A: Cantemos una nueva canción al Señor.

Grupo B: Cantemos al Señor, toda la tierra.

Grupo A: Cantemos al Señor y alabemos su nombre.

Grupo B: Cantemos día tras día.

Todos: ¡El Señor nos ha salvado!
adaptado de Salmo 96:1–2

Líder: *Sigamos alabando a Jesús amándonos los unos a los otros.*

Todos: *Amén. Aleluya.*

Leader: *We meet Jesus in those we love and serve. We meet Jesus in a special way at Mass. Let us rejoice that the Lord is with us.*

A reading from the Book of Psalms.

Group A: Sing to the Lord a new song.

Group B: Sing to the Lord, all the earth.

Group A: Sing to the Lord and praise his name.

Group B: Sing day after day.

All: The Lord has saved us!
adapted from Psalm 96:1–2

Leader: *Let us continue to praise Jesus by loving one another.*

All: *Amen. Alleluia.*

Pentecostés

En Pentecostés se celebra la venida del Espíritu Santo. El Espíritu Santo vino a Pedro y a los demás discípulos. Ellos salieron a contarle a todo el mundo acerca de Jesús.

Oración

Jesús, enséñame a ayudar a los demás como lo hicieron los discípulos.

Pentecost

The coming of the Holy Spirit is celebrated on Pentecost. The Holy Spirit came to Peter and the other disciples. They went out to tell everyone about Jesus.

Prayer

Jesus, teach me how to help others the way the disciples did.

La ayuda de Pedro

Junto con los otros discípulos, Pedro recibió al
Espíritu Santo en Pentecostés. Él quería hablar
a la gente acerca de Jesús.

Pedro iba al Templo a rezar. Vio a un hombre pobre
que no podía caminar. El hombre le pedía dinero.
Pedro le dijo: "No tengo plata ni oro, pero lo que
tengo te lo doy: en nombre de Jesucristo, levántate
y camina".

El hombre se levantó y echó a andar. Estaba muy
contento. Fue al Templo y alabó a Dios.

adaptado de Hechos de los Apóstoles 3:1–8

¿Cómo cambiaron la vida de ese hombre las
acciones de Pedro?

Peter Helps

With the other disciples, Peter received the Holy Spirit on Pentecost. He wanted to tell people about Jesus.

Peter was going to the Temple to pray. He saw a poor man who could not walk. The man begged for money. Peter said, "I do not have silver or gold. What I do have, I will give you. In the name of Jesus Christ, get up and walk."

The man leaped up and walked around. He was very excited. He went into the Temple and praised God.

adapted from Acts of the Apostles 3:1–8

How did Peter's actions change the man's life?

¿Qué puedes hacer?

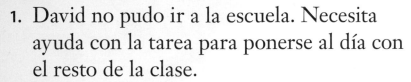

Al igual que Pedro tenemos la ayuda del Espíritu Santo.
El Espíritu nos guía a rezar y a cuidar de los
demás. A continuación encontrarás diferentes
situaciones. Escribe lo que harías para ayudar
en cada caso a la persona necesitada.

1. David no pudo ir a la escuela. Necesita
   ayuda con la tarea para ponerse al día con
   el resto de la clase.

   _____

   _____

2. Sara está llorando. Nadie le quiere
   enseñar a montar en bicicleta.

   _____

   _____

3. Laura se siente triste porque los niños de
   su escuela no la incluyen en los juegos.

   _____

   _____

4. Iván quiere estar en el equipo de fútbol
   pero no sabe jugar.

   _____

   _____

What Can You Do?

Like Peter we have the help of the Holy Spirit.
The Spirit leads us to pray and to care for
others. Below each situation write what you
could do to help the person in need.

1. David was absent from school. He needs
   help with his homework to catch up to the
   rest of the class.

   _____

   _____

2. Sara is crying. No one will help her learn
   how to ride her new bike.

   _____

   _____

3. Laura is feeling sad because the children
   at her new school do not include her.

   _____

   _____

4. Ivan wants to be on the soccer team, but
   he does not know how to play.

   _____

   _____

Oración en común

Líder: *Pedro pidió ayuda a Jesús para curar al hombre del Templo. Recemos para que el Espíritu Santo nos guíe a servir a los demás en el nombre de Jesús.*

Todos: *Amén.*

Lector: *Lectura de la carta de san Pablo a los Gálatas.*

Cuando se ayudan unos a otros, están obedeciendo la ley de Jesús. No se cansen de hacer el bien por los demás. Serán recompensados si no dejan de hacerlo.

adaptado de Gálatas 6:2,9

Palabra de Dios.

Todos: *Demos gracias a Dios.*

Líder: *Deja que mostremos nuestro amor por los demás cada día.*

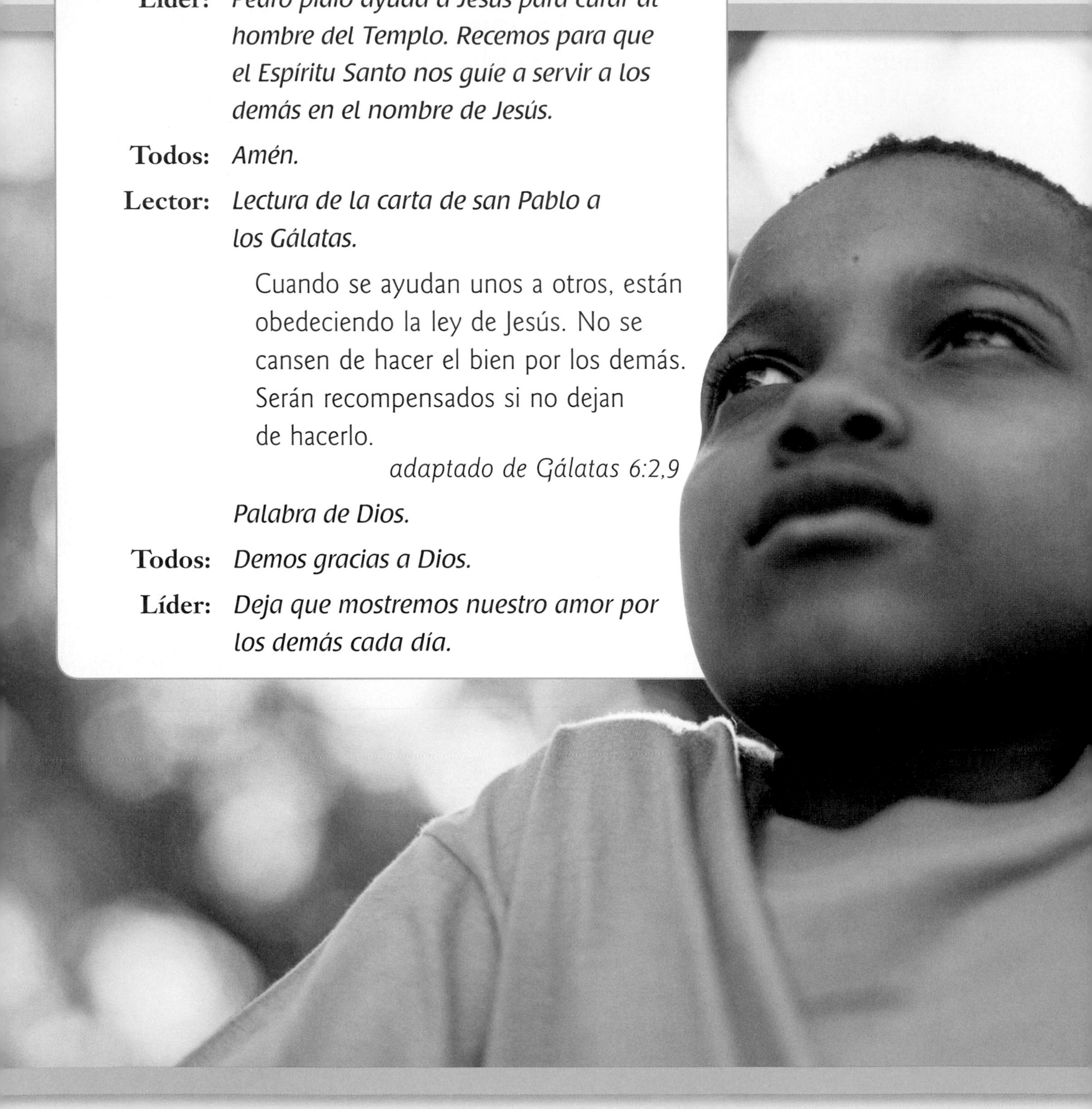

Prayer Service

Leader: *Peter called for Jesus' help in healing the man at the Temple. Let us pray that the Holy Spirit will lead us to serve others in Jesus' name.*

All: *Amen.*

Reader: *A reading from the letter of Saint Paul to the Galatians.*

> When you help one another, you obey Jesus' law. Do not grow tired of doing good for others. You will be rewarded if you do not give up.
>
> *adapted from Galatians 6:2,9*

The Word of the Lord.

All: *Thanks be to God.*

Leader: *Let us show our love for others every day.*

Día de Todos los Santos

En la Fiesta de Todos los Santos recordamos a los santos que están en el cielo. Nosotros también queremos ser santos. Queremos vivir como hijos de Dios.

Oración

Jesús, hermano mío, quiero seguirte y estar más cerca de ti.

All Saints Day

On the Feast of All Saints, we remember the saints in Heaven. We want to become saints too. We want to live as children of God.

Prayer

Jesus, my brother, I want to follow you and be close to you.

Llegar a ser hijos de Dios

La gente quería convertirse en hijos de Dios. Preguntaron a Pedro y a los demás discípulos de Jesús qué debían hacer para lograrlo.

Pedro dijo: "Arrepiéntanse y háganse bautizar en el nombre de Jesucristo. Sus pecados serán perdonados y recibirán el don del Espíritu Santo. Esta promesa ha sido hecha para todos a quienes Dios llama".　　　　adaptado de Hechos de los Apóstoles 2:37–39

Vivir como hijos de Dios

Jesús quiere que estemos más cerca de él y los unos de los otros. Para ayudarnos nos da la gracia de los sacramentos. Nos pide que recemos los unos por los otros y por aquellos que han muerto. Les pedimos a los santos en el cielo que recen por nosotros. Todos estamos juntos en Jesús. Esto es la Comunión de los Santos.

Becoming Children of God

The people wanted to become children of God. So they asked Peter and Jesus' other disciples what they should do.

Peter said, "Be sorry for your sins and be baptized in the name of Jesus Christ. Your sins will be forgiven. You will receive the gift of the Holy Spirit. This promise is made for everyone God calls."

adapted from Acts of the Apostles 2:37–39

Living as God's Children

Jesus wants us to be close to him and to one another. He gives us the grace of the sacraments to help us. He asks us to pray for one another and for those who died. We ask the saints in Heaven to pray for us. We are all together in Jesus. This is the Communion of Saints.

El Día de Todos los Santos

El 1 de noviembre celebramos el Día de Todos los Santos. Vamos a misa y recordamos a todos los que han muerto y ahora viven con Dios.

También es un buen momento para pensar en las personas especiales que hay en tu vida. Piensa en cómo te ayudan. Piensa en su buen ejemplo. Piensa en su amor por ti.

Haz un dibujo dentro del marco de alguien que sea especial en tu vida. Escribe una frase para decir por qué es especial esa persona.

_____

_____

Feast of All Saints

On November 1 we celebrate the Feast of All Saints. We go to Mass. We remember those who have died and now live with God.

It is also a good time to think about the special people in your life. Think of how they help you. Think of their good example. Think of their love for you.

In the frame draw a picture of one special person in your life. Write a sentence to tell why this person is special to you.

_____

_____

Oración en común

Líder: Jesús nos pide que recemos los unos por los otros.

Rezamos por los que han muerto. Señor ten piedad.

Todos: Señor, ten piedad.

Líder: Pedimos a los santos en el cielo que recen por nosotros. Santos, ayúdennos a seguir a Jesús.

Todos: Santos, ayúdennos a seguir a Jesús.

Lector: Lectura de la primera carta de Juan.

Queridos, ya somos hijos de Dios.

adaptado de 1 Juan 3:2

Palabra de Dios.

Todos: Gloria a ti, Señor.

Líder: Concluyamos con la oración del Padrenuestro que Jesús nos enseñó.

Prayer Service

Leader: *Jesus asks us to pray for one another.*

We pray for those who have died. Lord, have mercy on them.

All: *Lord, have mercy on them.*

Leader: *We ask the saints in Heaven to pray for us. Holy saints, help us to follow Jesus.*

All: *Holy saints, help us to follow Jesus.*

Reader: *A reading from the first letter of John.*

Beloved, we are God's children now.

adapted from 1 John 3:2

The Word of the Lord.

All: *Thanks be to God.*

Leader: *Let us close with the prayer to God the Father that Jesus taught us.*

Oraciones y prácticas de nuestra fe

Prayers and Practices of Our Faith

Conocer y rezar nuestra fe

La Biblia y tú

Dios nos habla de muchas maneras. Una de estas maneras es a través de la Biblia. La Biblia es la historia de la promesa de Dios de cuidar de nosotros, especialmente a través de su Hijo, Jesús.

La Biblia consta de dos partes. El Antiguo Testamento nos narra historias del pueblo judío antes de que naciera Jesús.

(Continúa en la página 139).

Knowing and Praying Our Faith

The Bible and You

God speaks to us in many ways. One way is through the Bible. The Bible is the story of God's promise to care for us, especially through his Son, Jesus.

The Bible is made up of two parts. The Old Testament tells stories about the Jewish people before Jesus was born.

(Continued on page 139.)

En el Nuevo Testamento Jesús nos enseña acerca del amor del Padre. Los Evangelios nos cuentan historias sobre la vida, muerte y Resurrección de Jesús.

En la misa escuchamos historias de la Biblia. También podemos leer la Biblia por nuestra cuenta.

In the New Testament, Jesus teaches us about the Father's love. The Gospels tell stories about Jesus' life, Death, and Resurrection.

At Mass we hear stories from the Bible. We can also read the Bible on our own.

La oración y cómo rezamos

Rezar es hablar y escuchar a Dios. Podemos hablar a Dios con las palabras de oraciones especiales o con nuestras propias palabras. Podemos rezar en voz alta o en silencio en nuestros corazones.

Podemos rezar a Dios a menudo y de diferentes maneras. Alabamos a Dios. Podemos pedir a Dios lo que necesitamos y darle gracias. Podemos rezar por nosotros y por los demás.

Prayer and How We Pray

Prayer is talking and listening to God. We can talk to God in the words of special prayers or in our own words. We can pray aloud or quietly in our hearts.

We can pray to God often and in many different ways. We praise God. We can ask God for what we need and thank him. We can pray for ourselves and for others.

Oraciones para llevar en el corazón

Es bueno que sepamos las oraciones de memoria. Cuando sabemos las oraciones de memoria no solo aprendemos o recordamos sus palabras sino que las entendemos y las vivimos.

Gloria al Padre

Gloria al Padre
y al Hijo
y al Espíritu Santo.
Como era en el principio,
ahora y siempre,
por los siglos de los siglos.
Amén.

Señal de la Cruz

En el nombre del Padre
y del Hijo
y del Espíritu Santo.
Amén.

Padrenuestro

Padre nuestro que estás en el cielo,
santificado sea tu Nombre;
venga a nosotros tu Reino;
hágase tu voluntad
en la tierra como en el cielo.
Danos hoy
nuestro pan de cada día;
perdona nuestras ofensas,
como también nosotros perdonamos
a los que nos ofenden;
no nos dejes caer en la tentación,
y líbranos del mal.
Amén.

Prayers to Take to Heart

It is good for us to know prayers by heart. To take prayers to heart means that we not only learn, or memorize, the words but understand and live them.

Glory Be to the Father

Glory be to the Father,
and to the Son,
and to the Holy Spirit.
As it was in the beginning,
is now, and ever shall be,
world without end.
Amen.

Sign of the Cross

In the name of the Father,
and of the Son,
and of the Holy Spirit.
Amen.

Lord's Prayer

Our Father, who art in heaven,
hallowed be thy name;
thy kingdom come,
thy will be done
on earth as it is in heaven.
Give us this day our daily bread,
and forgive us our trespasses,
as we forgive those who trespass against us;
and lead us not into temptation,
but deliver us from evil.
Amen.

Avemaría

Dios te salve, María,
llena eres de gracia;
el Señor es contigo.
Bendita Tú eres
entre todas las mujeres,
y bendito es el fruto de tu
vientre, Jesús.
Santa María, Madre de Dios,
ruega por nosotros, pecadores,
ahora y en la hora de
nuestra muerte.
Amén.

Oración al Espíritu Santo

Ven Espíritu Santo, llena los corazones de tus fieles.
Y enciende en ellos el fuego de tu amor.
Envía tu Espíritu y serán creadas todas las cosas.
Y renovarás la faz de la tierra.

Oremos:
¡Oh Dios, que has instruido los corazones de tus fieles con luz del Espíritu Santo!, concédenos que sintamos rectamente con el mismo Espíritu y gocemos siempre de su divino consuelo. Por Jesucristo Nuestro Señor.

Amén.

Hail Mary

Hail Mary, full of grace,
the Lord is with you.
Blessed are you among women,
and blessed is the fruit of your
  womb, Jesus.
Holy Mary, Mother of God,
pray for us sinners,
now and at the hour of
  our death.
Amen.

Prayer to the Holy Spirit

Come, Holy Spirit, fill the hearts of your faithful.
And kindle in them the fire of your love.
Send forth your Spirit and they shall be created.
And you will renew the face of the earth.
Let us pray.

Lord,
by the light of the Holy Spirit
you have taught the hearts of your faithful.
In the same Spirit
help us to relish what is right
and always rejoice in your consolation.
We ask this through Christ our Lord.
Amen.

Acto de Contrición

*Dios mío, me arrepiento de todo
corazón de todos mis pecados y los
aborrezco, porque al pecar, no sólo
merezco las penas establecidas por ti
justamente, sino principalmente porque
te ofendí, a ti sumo Bien y digno de
amor por encima de todas las cosas.
Por eso propongo firmemente, con ayuda
de tu gracia, no pecar más en adelante y
huir de toda ocasión de pecado.
Amén.*

Acto de Contrición (u Oración del Penitente)

*Dios mío,
me arrepiento de todo corazón
de todo lo malo que he hecho
y de todo lo bueno que he dejado de hacer,
porque pecando te he ofendido a ti,
que eres el sumo bien
y digno de ser amado sobre todas las cosas.
Propongo firmemente, con tu gracia,
cumplir la penitencia,
no volver a pecar y evitas las ocasiones de pecado.
Perdóname, Señor,
por los méritos de la pasión
de nuestro salvador Jesucristo.
Amén.*

Act of Contrition

O my God, I am heartily sorry for having offended Thee, and I detest all my sins because of thy just punishments, but most of all because they offend Thee, my God, who art all good and deserving of all my love. I firmly resolve with the help of Thy grace to sin no more and to avoid the near occasion of sin. Amen.

Act of Contrition (or Prayer of the Penitent)

My God,
I am sorry for my sins with all my heart.
In choosing to do wrong
and failing to do good,
I have sinned against you
whom I should love above all things.
I firmly intend, with your help,
to do penance,
to sin no more,
and to avoid whatever leads me to sin.
Our Savior Jesus Christ
suffered and died for us.
In his name, my God, have mercy.
Amen.

Oración de la mañana

Dios, Padre nuestro,
te ofrezco en este día
todos mis pensamientos y palabras.
Te lo ofrezco junto con todo lo hecho
en la tierra por tu Hijo Jesucristo.
Amén.

Oración de la tarde

Dios, Padre común, el día ha concluido.
Imploramos a ti, y a tu Hijo Jesucristo,
que con el Espíritu, nuestro huésped de honor,
vigilen nuestro sueño y bendigas nuestro descanso.
Amén.

Bendición de la mesa antes de comer

Bendícenos, Señor,
y bendice estos alimentos
que por tu bondad
vamos a tomar.
Por Jesucristo Nuestro Señor.
Amén.

Bendición de la mesa después de comer

Te damos gracias, Señor,
por todos tus beneficios.
Tú que vives y reinas
por los siglos de los siglos.
[El Señor nos de su paz
y la vida eterna.]
Amén.

Morning Prayer

God, our Father, I offer you today
All that I think and do and say.
I offer it with what was done on earth
By Jesus Christ, your Son.
Amen.

Evening Prayer

God, our Father, this day is done.
We ask you and Jesus Christ, your Son,
that with the Spirit, our welcome guest,
you guard our sleep and bless our rest.
Amen.

Prayer Before Meals

Bless us, O Lord, and these your gifts
which we are about to receive from your goodness.
Through Christ our Lord.
Amen.

Prayer After Meals

We give you thanks
for all your gifts,
almighty God,
living and reigning
now and for ever.
Amen.

Credo de los Apóstoles

Creo en Dios, Padre todopoderoso,
Creador del cielo y de la tierra.

Creo en Jesucristo, su único Hijo, nuestro Señor,
que fue concebido por obra y gracia del Espíritu Santo,
nació de santa María Virgen,
padeció bajo el poder de Poncio Pilato, fue
*   crucificado, muerto y sepultado,*
descendió a los infiernos,
al tercer día resucitó de entre los muertos,
subió a los cielos
y está sentado a la derecha de Dios,
*   Padre todopoderoso.*
Desde allí ha de venir a juzgar a vivos y muertos.

Creo en el Espíritu Santo,
la santa Iglesia católica,
la comunión de los santos,
el perdón de los pecados,
la resurrección de la carne
y la vida eterna.

Amén.

Apostles' Creed

I believe in God,
the Father almighty,
Creator of heaven and earth,
and in Jesus Christ, his only Son, our Lord,
who was conceived by the Holy Spirit,
born of the Virgin Mary,
suffered under Pontius Pilate,
was crucified, died and was buried;
he descended into hell;
on the third day he rose again from the dead;
he ascended into heaven,
and is seated at the right hand of God
  the Father almighty;
from there he will come to judge the living
  and the dead.

I believe in the Holy Spirit,
the holy catholic Church,
the communion of saints,
the forgiveness of sins,
the resurrection of the body,
and life everlasting. Amen.

Salve Regina

Dios te salve, Reina
y Madre de misericordia,
vida, dulzura y esperanza nuestra;
Dios te salve.
A ti llamamos
los desterrados hijos de Eva;
a ti suspiramos, gimiendo y llorando
en este valle de lágrimas.
Ea, pues, Señora, abogada nuestra,
vuelve a nosotros esos tus ojos
misericordiosos;
y después de este destierro,
muéstranos a Jesús,
fruto bendito de tu vientre.

¡Oh, clementísima, oh piadosa,
oh dulce Virgen María!

Oración para las vocaciones

Dios, gracias por amarme.
Tú me has llamado
a vivir como tu hijo.
Ayuda a todos tus hijos
a amarte y amarse unos a otros.
Amén.

Hail, Holy Queen *(Salve, Regina)*

Hail, holy Queen, Mother of mercy,
hail, our life, our sweetness, and our hope.
To you we cry, the children of Eve;
to you we send up our sighs,
mourning and weeping in this land of exile.
Turn, then, most gracious advocate,
your eyes of mercy toward us;
lead us home at last
and show us the blessed
  fruit of your womb, Jesus:
O clement, O loving,
  O sweet Virgin Mary.

Prayer for Vocations

God, thank you for loving me.
You have called me
to live as your child.
Help all your children
to love you and one another.
Amen.

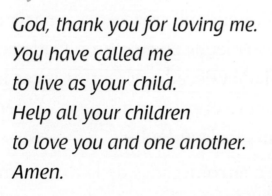

El Rosario

Rezar el Rosario nos ayuda a reflexionar sobre los sucesos especiales, o misterios, en las vidas de Jesús y de María. Estos pasos te ayudarán a aprender a rezar el Rosario.

1. Comienza rezando la Señal de la Cruz mientras sostienes el crucifijo. Luego reza el Credo de los Apóstoles.

2. Sostén la primera cuenta y reza un padrenuestro.

3. Reza un avemaría en cada una de las tres cuentas siguientes. Cuando termines, reza un gloria al Padre.

4. En la siguiente cuenta, piensa en el primer misterio, un suceso particular en las vidas de Jesús y de María. Luego reza un padrenuestro.

5. En las siguientes diez cuentas, reza un avemaría en cada cuenta mientras la sostienes en tu mano. Cada conjunto de diez cuentas se llama década. Mientras rezas la década reflexiona sobre el primer misterio. Al terminar cada década reza un gloria al Padre.

6–13. Reza las siguientes cuatro décadas de la misma manera, usando la cuenta que separa cada década para rezar un padrenuestro. Piensa en un misterio diferente cada vez. Muchas personas rezan la *Salve Regina* después de la última década.

14. Termina rezando la Señal de la Cruz mientras sostienes en tus manos el crucifijo.

The Rosary

Praying the Rosary helps us reflect on the special events, or mysteries, in the lives of Jesus and Mary. These steps will help you learn to pray the Rosary.

1. Begin by praying the Sign of the Cross while holding the crucifix. Then pray the Apostles' Creed.

2. Hold the first single bead and pray the Lord's Prayer.

3. On each of the next three beads, pray a Hail Mary. End with one Glory Be to the Father.

4. On the next single bead, think about the first mystery, a particular event in the lives of Jesus and Mary. Then pray the Lord's Prayer.

5. On the next ten beads, pray a Hail Mary as you hold each bead. Each set of ten beads is called a decade. As you pray the decade, reflect on the first mystery. At the end of the decade, pray the Glory Be to the Father.

6–13. Pray the four remaining decades in the same way, using the single bead between each set to pray the Lord's Prayer. Think about a different mystery each time. Many people pray the Hail, Holy Queen after the last decade.

14. End by praying the Sign of the Cross while holding the crucifix.

Rezar el Rosario

5. Reza diez avemarías y un gloria al Padre.

6. Reflexiona sobre el segundo misterio. Reza un padrenuestro.

Reza la *Salve Regina*. Muchas personas rezan la *Salve* después de la última década.

4. Reflexiona sobre el primer misterio. Reza un padrenuestro.

7. Reza diez avemarías y un gloria al Padre.

3. Reza tres avemarías y un gloria al Padre.

2. Reza un padrenuestro.

13. Reza diez avemarías y un gloria al Padre.

1. Reza la Señal de la Cruz y el Credo de los Apóstoles.

12. Reflexiona sobre el quinto misterio. Reza un padrenuestro.

8. Reflexiona sobre el tercer misterio. Reza un padrenuestro.

14. Reza la Señal de la Cruz.

11. Reza diez avemarías y un gloria al Padre.

9. Reza diez avemarías y un gloria al Padre.

10. Reflexiona sobre el cuarto misterio. Reza un padrenuestro.

Praying the Rosary

9. Pray ten Hail Marys and one Glory Be to the Father.

10. Think about the fourth mystery. Pray the Lord's Prayer.

8. Think about the third mystery. Pray the Lord's Prayer.

11. Pray ten Hail Marys and one Glory Be to the Father.

7. Pray ten Hail Marys and one Glory Be to the Father.

6. Think about the second mystery. Pray the Lord's Prayer.

12. Think about the fifth mystery. Pray the Lord's Prayer.

5. Pray ten Hail Marys and one Glory Be to the Father.

13. Pray ten Hail Marys and one Glory Be to the Father.

4. Think about the first mystery. Pray the Lord's Prayer.

Pray the Hail, Holy Queen.
Many people pray the Hail, Holy Queen after the last decade.

3. Pray three Hail Marys and one Glory Be to the Father.

2. Pray the Lord's Prayer.

14. Pray the Sign of the Cross.

1. Pray the Sign of the Cross and the Apostles' Creed.

Celebrar nuestra fe

Los siete sacramentos

Los sacramentos son maneras a través de las cuales Dios entra en nuestra vida.

Los sacramentos nos muestran que Dios es parte de nuestra vida. Jesús le dio los sacramentos a la Iglesia para mostrar que él nos ama. Los siete sacramentos nos ayudan a vivir de la manera en que Dios quiere que vivamos. Los sacerdotes celebran los sacramentos con nosotros.

Bautismo

El Bautismo es el primer sacramento que recibimos. A través del Bautismo nos convertimos en seguidores de Jesús y parte de la Iglesia, la familia de Dios.

Verter agua sobre nuestra cabeza es el signo principal del Bautismo. Junto con la Confirmación y la Eucaristía, el Bautismo es uno de los sacramentos de la Iniciación.

(Continúa en la página 150).

Celebrating Our Faith

The Seven Sacraments

The sacraments are ways in which God enters our lives.

Sacraments show that God is part of our lives. Jesus gave them to the Church to show that he loves us. The seven sacraments help us live the way God wants us to live. Priests celebrate the sacraments with us.

Baptism

Baptism is the first sacrament we receive. Through Baptism we become followers of Jesus and part of God's family, the Church.

The pouring of water is the main sign of Baptism. Along with Confirmation and the Eucharist, Baptism is a Sacrament of Initiation.

(Continue to page 150.)

Confirmación

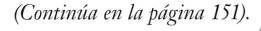

La Confirmación es uno de los sacramentos de la Iniciación.

En este sacramento el Espíritu Santo nos fortalece para que demos testimonio de Jesús. La Confirmación nos hace fuertes en la fe y nos ayuda a ser mejores cristianos.

El obispo nos unge con santos óleos marcando una cruz en nuestra frente. Este es el signo principal de la Confirmación.

Eucaristía

La Eucaristía es uno de los sacramentos de la Iniciación.

En la misa el pan y el vino se convierten en el Cuerpo y la Sangre de Jesucristo. Esto ocurre cuando el sacerdote dice las palabras de consagración que Jesús dijo en la Última Cena. La Eucaristía se conoce también como la Sagrada Comunión.

(Continúa en la página 151).

Confirmation

Confirmation is a Sacrament of Initiation.

In this sacrament the Holy Spirit strengthens us to be witnesses to Jesus. Confirmation makes us stronger in faith and helps us become better Christians.

The bishop places holy oil in the form of a cross on our foreheads. This is the main sign of Confirmation.

Eucharist

The Eucharist is a Sacrament of Initiation.

At Mass the bread and wine become the Body and Blood of Jesus Christ. This happens when the priest says the words of consecration that Jesus used at the Last Supper. The Eucharist is also called Holy Communion.

(Continue to page 151.)

Reconciliación

En el sacramento de la Penitencia y la Reconciliación le pedimos a Dios que perdone nuestros pecados. El sacerdote que celebra este sacramento comparte con nosotros los dones de paz y perdón de Jesús.

Dios siempre nos perdona cuando estamos arrepentidos y hacemos penitencia por nuestros pecados.

Unción de los Enfermos

En este sacramento una persona enferma es ungida con los santos óleos y recibe la curación espiritual —y algunas veces física— de Jesús.

(Continúa en la página 152).

Reconciliation

We ask God to forgive our sins in the Sacrament of Penance and Reconciliation. The priest who celebrates this sacrament with us shares Jesus' gifts of peace and forgiveness.

God always forgives us when we are sorry and do penance for our sins.

Anointing of the Sick

In this sacrament a sick person is anointed with holy oil and receives the spiritual—and sometimes even physical—healing of Jesus.

(Continue to page 152.)

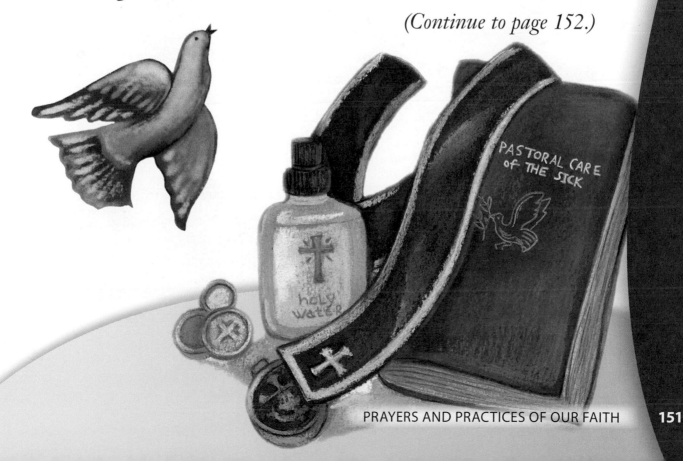

Sacramento del Orden

Algunos hombres son llamados a servir como diáconos, sacerdotes u obispos. Ellos reciben el sacramento del Orden. A través de este sacramento la Iglesia continúa la misión, o tarea, que Jesús dio a sus apóstoles.

Matrimonio

Algunos hombres y mujeres están llamados a casarse. En el sacramento del Matrimonio hacen una promesa solemne de ser compañeros para toda la vida, por su propio bien y por el bien de los niños que criarán.

Holy Orders

Some men are called to be deacons, priests, or bishops. They receive the Sacrament of Holy Orders. Through Holy Orders the mission, or task, given by Jesus to his apostles continues in the Church.

Matrimony

Some men and women are called to be married. In the Sacrament of Matrimony, they make a solemn promise to be partners for life, both for their own good and for the good of the children they will raise.

Celebrar el día del Señor

El domingo es el día en que celebramos la Resurrección de Jesús. El domingo es el día del Señor. Ese día nos reunimos en la misa y descansamos del trabajo. Alrededor del mundo, las personas se reúnen como hermanos y hermanas ante la mesa eucarística de Dios.

El Ordinario de la Misa

La misa es la celebración sacramental más importante de la Iglesia y sigue un orden establecido.

Ritos Iniciales:
preparando la celebración de la Eucaristía

Procesión y canto de entrada

Nos reunimos como comunidad y alabamos a Dios con canciones.

Saludo

Rezamos la Señal de la Cruz. El sacerdote nos da la bienvenida.

Acto Penitencial

Recordamos nuestros pecados y rogamos a Dios por su misericordia.

Gloria

Alabamos a Dios con una canción.

Oración Colecta

Le pedimos a Dios que escuche nuestras oraciones.

(Continúa en la página 154).

Celebrating the Lord's Day

Sunday is the day on which we celebrate the Resurrection of Jesus. Sunday is the Lord's Day. We gather for Mass and rest from work. People all over the world gather at God's eucharistic table as brothers and sisters.

The Order of Mass

The Mass is the most important sacramental celebration of the Church, and it always follows a set order.

Introductory Rites—preparing to celebrate the Eucharist

Entrance Chant

We gather as a community and praise God in song.

Greeting

We pray the Sign of the Cross. The priest welcomes us.

Penitential Act

We remember our sins and ask God for mercy.

Gloria

We praise God in song.

Collect Prayer

We ask God to hear our prayers.

(Continue to page 154.)

Liturgia de la Palabra:
escuchando acerca del plan de Salvación de Dios

Primera Lectura

Escuchamos la Palabra de Dios, generalmente del Antiguo Testamento.

Salmo Responsorial

Respondemos a la Palabra de Dios con una canción.

Segunda Lectura

Escuchamos la Palabra de Dios en el Nuevo Testamento.

Aclamación antes de la lectura del Evangelio

Cantamos ¡Aleluya! para alabar a Dios por la Buena Nueva. Durante la Cuaresma usamos una aclamación diferente.

(Continúa en la página 155).

Liturgy of the Word— hearing God's plan of Salvation

First Reading

We listen to God's Word, usually from the Old Testament.

Responsorial Psalm

We respond to God's Word in song.

Second Reading

We listen to God's Word from the New Testament.

Gospel Acclamation

We sing "Alleluia!" to praise God for the Good News. During Lent we use a different acclamation.

(Continue to page 155.)

Lectura del Evangelio

Nos ponemos de pie y escuchamos el Evangelio del Señor.

Homilía

El sacerdote o el diácono explica la Palabra de Dios.

Profesión de fe

Proclamamos nuestra fe por medio del Credo.

Oración Universal

Rezamos por nuestras necesidades y por las necesidades de los demás.

(Continúa en la página 156).

Gospel Reading

We stand and listen to the Gospel of the Lord.

Homily

The priest or deacon explains God's Word.

Profession of Faith

We proclaim our faith through the Creed.

Prayer of the Faithful

We pray for our needs and the needs of others.

(Continue to page 156.)

Liturgia de la Eucaristía:
celebrando la presencia de Jesucristo en la Eucaristía

Preparación de los dones

Traemos los dones del pan y el vino al altar.

Oración sobre las Ofrendas

El sacerdote reza para que Dios acepte nuestro sacrificio.

Plegaria Eucarística

Esta oración de agradecimiento es el centro y el momento culminante de toda la celebración. Durante esta oración el pan y el vino se convierten verdaderamente en el Cuerpo y la Sangre de Jesucristo.

(Continúa en la página 157).

Liturgy of the Eucharist— celebrating Jesus Christ's presence in the Eucharist

Presentation and Preparation of the Gifts

We bring gifts of bread and wine to the altar.

Prayer over the Offerings

The priest prays that God will accept our sacrifice.

Eucharistic Prayer

This prayer of thanksgiving is the center and high point of the entire celebration. During this prayer the bread and wine truly become the Body and Blood of Jesus Christ.

(Continue to page 157.)

Rito de la Comunión: preparándonos para recibir el Cuerpo y la Sangre de Jesucristo

Oración del Señor

Rezamos el Padrenuestro.

Rito de la Paz

Nos damos la Paz de Cristo unos a otros.

Cordero de Dios

Rezamos la oración Cordero de Dios y pedimos perdón, misericordia y paz.

Comunión

Recibimos el Cuerpo y Sangre de Jesucristo.

Rito de Conclusión: enviados en paz

Bendición

Recibimos la bendición de Dios.

Despedida

Nos vamos en paz a glorificar al Señor con nuestra vida.

Communion Rite—preparing to receive the Body and Blood of Jesus Christ

The Lord's Prayer

We pray the Lord's Prayer.

Sign of Peace

We offer one another Christ's peace.

Lamb of God

We pray the Lamb of God and ask for forgiveness, mercy, and peace.

Communion

We receive the Body and Blood of Jesus Christ.

Concluding Rites— going forth in peace

Final Blessing

We receive God's blessing.

Dismissal

We go in peace to glorify the Lord by our lives.

Recibir la Comunión

Cuando recibimos la Comunión recibimos el Cuerpo de Cristo —en forma de pan— en nuestras manos o en nuestra lengua. El sacerdote o el ministro de la Comunión dice: "El Cuerpo de Cristo". Nosotros respondemos: "Amén".

También podemos recibir la Sangre de Cristo —en forma de vino—. El sacerdote o el ministro de la Comunión nos ofrece el cáliz y dice: "La Sangre de Cristo". Nosotros respondemos: "Amén". Tomamos el cáliz en nuestras manos, bebemos de él y se lo entregamos de nuevo al sacerdote o al ministro de la Comunión.

Días de precepto

Los días de precepto son los días, en que sin ser domingo, los católicos nos reunimos en la misa para celebrar las grandes cosas que Dios ha hecho por nosotros a través de Jesús y de los santos.

En los Estados Unidos se celebran seis días de precepto.

1 de enero: María, Madre de Dios

40 días después de Pascua de Resurrección: Ascensión

15 de agosto: Asunción de la Santísima Virgen María

1 de noviembre: Día de Todos los Santos

8 de diciembre: Inmaculada Concepción

25 de diciembre: Natividad del Señor

Receiving Holy Communion

When we receive Holy Communion, we receive the Body of Christ—in the form of bread—in our hands or on our tongues. The priest or the extraordinary minister of Holy Communion says, "The Body of Christ." We reply, "Amen."

We can also receive the Blood of Christ—in the form of wine. The priest or the extraordinary minister of Holy Communion offers the chalice and says, "The Blood of Christ." We reply, "Amen." We take the chalice in our hands and drink from it, and we then hand it back to the priest or extraordinary minister of Holy Communion.

Holy Days of Obligation

Holy Days of Obligation are the days other than Sundays on which Catholics gather for Mass to celebrate the great things God has done for us through Jesus and the saints.

Six Holy Days of Obligation are celebrated in the United States.

January 1—Mary, Mother of God

40 days after Easter—Ascension

August 15—Assumption of the Blessed Virgin Mary

November 1—All Saints Day

December 8—Immaculate Conception

December 25—Nativity of Our Lord Jesus Christ

Personas y cosas que veo en la misa

People and Things I See at Mass

alba / alb

servidor del altar / altar server

lámpara del sagrario / sanctuary lamp

cruz procesional / processional cross

cirio pascual / Paschal Candle

ministro extraordinario de la Sagrada Comunión / extraordinary minister of Holy Communion

sagrario / tabernacle

ambón / ambo

servidores del altar / altar servers

estola / stole

casulla / chasuble

diácono / deacon

sacerdote / priest

lector / lector

INRI

cantor / cantor

altar / altar

cáliz / chalice

patena / paten

Examen de conciencia

Hacemos un examen de conciencia cuando reflexionamos sobre cómo hemos dañado nuestra relación con Dios y con los demás. Preguntas como las siguientes nos ayudan a realizar nuestro examen de conciencia.

Mi relación con Dios

¿Uso el nombre de Dios con amor y respeto?

¿Qué pasos estoy dando para estar más cerca de Dios y de los demás?

¿Participo activamente en la misa los domingos y días de precepto?

¿Rezo?

(Continúa en la página 161).

An Examination of Conscience

An examination of conscience is the act of reflecting on how we have hurt our relationships with God and others. Questions such as the following will help us in our examination of conscience.

My Relationship with God

Do I use God's name with love and reverence?

What steps am I taking to grow closer to God and to others?

Do I actively participate at Mass on Sundays and Holy Days of Obligation?

Do I pray?

(Continue to page 161.)

Mis relaciones con la familia, los amigos y los vecinos

¿He dado un mal ejemplo con mis palabras y acciones? ¿Trato a los demás justamente?

¿Amo a todos mis familiares? ¿Soy respetuoso con mis vecinos, mis amigos y las personas que tienen autoridad sobre mí?

¿Muestro respeto por mi cuerpo y por el cuerpo de los demás?

¿He tomado o he roto algo que no me pertenece? ¿He mentido o he engañado?

¿Riño o me peleo con los demás? ¿Trato de lastimar a las personas que pienso me han lastimado?

My Relationships with Family, Friends, and Neighbors

Have I set a bad example by my words or actions? Do I treat others fairly?

Am I loving to those in my family? Am I respectful of my neighbors, my friends, and those in authority?

Do I show respect for my body and for the bodies of others?

Have I taken or damaged anything that did not belong to me? Have I cheated or lied?

Do I quarrel or fight with others? Do I try to hurt people who I think have hurt me?

Pasos para una buena confesión

El examen de conciencia es una parte importante de la preparación para el sacramento de la Reconciliación. El sacramento de la Reconciliación incluye los siguientes pasos.

1. El sacerdote nos saluda y rezamos la Señal de la Cruz. Nos invita a confiar en Dios. Puede que lea la Palabra de Dios con nosotros.

2. Confesamos nuestros pecados. El sacerdote nos puede ayudar y aconsejar.

(Continúa en la página 163).

How to Make a Good Confession

An examination of conscience is an important part of preparing for the Sacrament of Reconciliation. The Sacrament of Reconciliation includes the following steps.

1. The priest greets us, and we pray the Sign of the Cross. He invites us to trust in God. He may read God's Word with us.

2. We confess our sins. The priest may help and counsel us.

(Continue to page 163.)

3. El sacerdote nos asigna una penitencia para realizar. La penitencia puede ser que hagamos una buena obra o que recemos unas oraciones, o las dos cosas.

4. El sacerdote nos pide que expresemos nuestro arrepentimiento, generalmente rezando el Acto de Contrición.

5. Recibimos la absolución. El sacerdote dice: "Y yo te absuelvo de tus pecados, en el nombre del Padre, y del Hijo, y del Espíritu Santo". Respondemos: "Amén".

6. El sacerdote nos despide con estas palabras: "Vete en paz". Salimos para cumplir la penitencia que nos ha asignado.

3. The priest gives us a penance to perform. Penance may be an act of kindness or prayers to pray, or both.

4. The priest asks us to express our sorrow, usually by praying the Act of Contrition.

5. We receive absolution. The priest says, "I absolve you from your sins in the name of the Father, and of the Son, and of the Holy Spirit." We respond, "Amen."

6. The priest dismisses us by saying, "Go in peace." We go forth to perform the act of penance he has given us.

Vivir nuestra fe

Los Diez Mandamientos

Dios nos dio los Diez Mandamientos. Los mandamientos nos enseñan cómo vivir para Dios y para los demás. Nos ayudan a seguir la ley moral de hacer el bien y evitar el mal.

1. Yo soy tu Dios. Amarás a Dios sobre todas las cosas.
2. No tomarás el nombre de Dios en vano.
3. Santificarás las fiestas.
4. Honrarás y obedecerás a tus padres.
5. Tratarás con respeto toda vida humana.
6. Respetarás el matrimonio.
7. Respetarás lo que pertenece a los demás.
8. Dirás la verdad.
9. Respetarás a tu prójimo y a tus amigos.
10. Serás feliz con lo que tienes.

Living Our Faith

The Ten Commandments

God gave us the Ten Commandments. They teach us how to live for God and for others. They help us follow the moral law to do good and avoid evil.

1. I am your God; love nothing more than me.
2. Use God's name with respect.
3. Keep the Lord's Day holy.
4. Honor and obey your parents.
5. Treat all human life with respect.
6. Respect married life.
7. Respect what belongs to others.
8. Tell the truth.
9. Respect your neighbors and your friends.
10. Be happy with what you have.

El Mandamiento Mayor

Unas personas preguntaron a Jesús: "¿Cuál es el mandamiento más importante?".

Jesús dijo: "Primero, ama a Dios. Ámalo con tu corazón, tu alma y tu mente. Lo segundo es: Ama a tu prójimo como a ti mismo".

adaptado de Mateo 22:37–39

A esto le llamamos el Mandamiento Mayor.

El Nuevo Mandamiento

Antes de morir en la cruz, Jesús dio a sus discípulos un nuevo mandamiento.

Les doy un mandamiento nuevo, que se amen los unos a los otros como yo los he amado: ámense así unos a otros. *Juan 13:34*

Las Bienaventuranzas

Jesús nos dio las Bienaventuranzas en el Sermón de la Montaña. Estas muestran el camino a la verdadera felicidad.

Bienaventurados los que son bondadosos con los demás. Ellos serán recompensados.

Bienaventurados los que hacen el bien aun cuando sea difícil. Ellos estarán con Dios algún día.

Bienaventurados los que son justos con los demás. Ellos serán tratados justamente.

Bienaventurados aquellos que trabajan por la paz. Ellos son hijos de Dios. *adaptado de Mateo 5:1–10*

The Great Commandment

People asked Jesus, "What is the most important commandment?" Jesus said, "First, love God. Love him with your heart, soul, and mind. The second is like it: Love your neighbor as much as you love yourself."

adapted from Matthew 22.37–39

We call this the Great Commandment.

The New Commandment

Before his Death on the cross, Jesus gave his disciples a new commandment.

"[L]ove one another. As I have loved you, so you also should love one another."

John 13:34

The Beatitudes

Jesus gave us the Beatitudes in the Sermon on the Mount. They show us the way to true happiness.

Blessed are those who are kind to others. They will be rewarded.

Blessed are those who do the right thing even when it is difficult. They will be with God one day.

Blessed are those who are fair to others. They will be treated fairly.

Blessed are those who work for peace. They are God's children.

adapted from Matthew 5:1–10

Tomar buenas decisiones

El Espíritu Santo nos ayuda a tomar buenas decisiones. Recibimos la ayuda de los Diez Mandamientos, la gracia de los sacramentos y las enseñanzas de la Iglesia. También nos ayuda el ejemplo de los santos y de otros cristianos. Para tomar buenas decisiones, nos hacemos las siguientes preguntas:

1. ¿Es bueno lo que estoy eligiendo?
2. ¿Lo estoy eligiendo por las razones correctas?
3. ¿Lo estoy eligiendo hacer en el lugar y el momento apropiados?

Frutos del Espíritu Santo

Vivimos como Dios quiere que vivamos cuando nos damos cuenta de que el Espíritu Santo vive en nosotros. Los frutos del Espíritu Santo son signos de la obra del Espíritu Santo en nuestra vida.

caridad	paciencia	benignidad	modestia
gozo	longanimidad	mansedumbre	continencia
paz	bondad	fidelidad	castidad

Making Good Choices

The Holy Spirit helps us make good choices. We get help from the Ten Commandments, the grace of the sacraments, and the teachings of the Church. We also get help from the example of the saints and fellow Christians. To make good choices, we ask the following questions:

1. Is the thing I am choosing to do a good thing?

2. Am I choosing to do it for the right reasons?

3. Am I choosing to do it at the right time and in the right place?

Fruits of the Holy Spirit

When we realize that the Holy Spirit lives within us, we live the way God wants us to. The Fruits of the Holy Spirit are signs of the Holy Spirit's action in our lives.

charity	patience	generosity	modesty
joy	kindness	gentleness	self-control
peace	goodness	faithfulness	chastity

Mostrar nuestro amor por el mundo

Jesús nos enseñó a cuidar de aquellos que tienen necesidades. La enseñanza social de la Iglesia nos llama a seguir el ejemplo de Jesús en cada una de las siguientes áreas.

La vida y la dignidad

Dios quiere que cuidemos de todos. Todas las personas están hechas a su imagen.

La familia y la comunidad

Jesús quiere que ayudemos amorosamente en nuestras familias y comunidades.

Los derechos y los deberes

Todas las personas deben tener lo que necesitan para vivir vidas buenas.

Los pobres y los indefensos

Jesús nos llama a hacer lo que podamos para ayudar a las personas necesitadas.

El trabajo y los trabajadores

El trabajo que hacemos da gloria a Dios.

(Continúa en la página 168).

Showing Our Love for the World

Jesus taught us to care for those in need. The Social Teachings of the Church call us to follow Jesus' example in each of the following areas.

Life and Dignity

God wants us to care for everyone. We are all made in his image.

Family and Community

Jesus wants us to be loving helpers in our families and communities.

Rights and Responsibilities

All people should have what they need to live good lives.

The Poor and Vulnerable

Jesus calls us to do what we can to help people in need.

Work and Workers

The work that we do gives glory to God.

(Continue to page 168.)

La solidaridad

Como Dios es nuestro Padre somos llamados a tratar a todos en el mundo como hermanos y hermanas.

La creación de Dios

Mostramos nuestro amor por el mundo de Dios al cuidar de él.

Solidarity

Since God is our Father, we are called to treat everyone in the world as a brother or a sister.

God's Creation

We show our love for God's world by taking care of it.

Nombre _____ Fecha _____

La Lámina de arte 1 muestra imágenes de animales marinos, terrestres y de aves. ¿De qué manera es la creación de Dios un don para nosotros? ¿Cómo podemos cuidar de la creación de Dios?

Dios creó el cielo y la tierra

Al principio solo estaba Dios —el Padre, el Hijo y el Espíritu Santo—.

Dios creó el mundo. Hizo el cielo, el sol y la luna. Creó el mar y lo llenó de todo tipo de peces. Creó la tierra y la llenó de todo tipo de animales.

Luego Dios dijo: "Hagamos algo especial". Y Dios creó al hombre y a la mujer. Los bendijo y les dijo que tuvieran hijos. Les dijo que cuidaran bien de la tierra.

Dios vio todo lo que había hecho y quedó satisfecho con su creación.

adaptado de Génesis 1:1–31

Cuidar de la creación de Dios

Dios creó el cielo, la tierra, el mar y los animales. Al igual que el primer hombre y la primera mujer, Dios quiere que cuidemos de la tierra. ¿Cómo muestras a tu familia y amigos que cuidas de la creación de Dios? Escribe una cosa que haces para cuidarla. Escribe una cosa que veas que hacen los demás.

_____

_____

Name _____   Date _____

Art Print 1 shows God's creatures of the air, land, and sea. How is God's creation a gift to us? How can we care for God's creation?

God Made Heaven and Earth

At first, there was only God—the Father, the Son, and the Holy Spirit.

God made the world. He made the sky, the sun, and the moon. He made the sea. God filled it with different kinds of fish. He made the land. He filled it with many kinds of animals.

Then God said, "Let us make someone special." So God made a man and a woman. He blessed them and told them to have children. He told them to take good care of the earth.

God looked at everything he had made. God was pleased with all he had done.

adapted from Genesis 1:1–31

Taking Care of God's Earth

God created the sky, land, sea, and animals. Like the first man and woman, God wants us to take care of the earth. How do you show your family and friends that you take care of God's creation? Write one thing you do. Write one thing you see others do.

_____

_____

Nombre _____ Fecha _____

La Lámina de arte 2 es una colorida ilustración de la Sagrada Familia. ¿Qué cosas te gusta hacer con tu familia?

La historia de san José

Antes de que José y María se casaran, un ángel se le apareció a José en un sueño. El ángel dijo a José que el bebé que María iba a tener era por obra del Espíritu Santo.

José no entendía, pero el ángel le dijo: "José, hijo de David, no tengas miedo de tomar a María por esposa".

El ángel dijo a José que pusiera de nombre Jesús al bebé. *Jesús* significa "Dios salva" o "Dios nos salva". Porque Jesús nos salva de nuestros pecados, él es nuestro **Salvador**.

Cuando José despertó de su sueño tomó a María por esposa.

adaptado de Mateo 1:18–24

Las familias son especiales

Al igual que la Sagrada Familia, cada miembro de tu familia es importante. Esto hace que tu familia sea especial. Escribe dos razones por las que tu familia es especial.

_____

_____

_____

_____

Leyendo la Palabra de Dios

Yo estoy con ustedes siempre, hasta el fin del mundo.

adaptado de Mateo 28:20

Name _____ Date _____

Art Print 2 shows a colorful picture of the Holy Family.
What do you like to do with your family?

The Story of Joseph

Before Joseph and Mary were married, an angel
appeared to Joseph in a dream. The angel told
Joseph that the baby that Mary was going to
have would be from the Holy Spirit.

Joseph did not understand. Then the angel said, "Joseph,
son of David, do not be afraid to take Mary as your wife."

The angel told Joseph to name the child Jesus. The name
Jesus means "God saves" or "God saves us." Because Jesus
saves us from our sins, he is our **Savior.**

After Joseph woke up from his dream, he took Mary as his wife.

adapted from Matthew 1:18–24

Families Are Special

Like the Holy Family, every member of your family is
important. This makes your family special. Write two ways that
tell how your family is special.

_____

_____

_____

_____

Reading God's Word

I will be with you always, until the end of the world!

adapted from Matthew 28:20

Nombre _____   Fecha _____

La Lámina de arte 3 muestra una imagen alegre de la tierra desde el espacio. ¿Cómo cuida Dios de la Tierra y de nosotros?

Confiar en Dios

Jesús quiere que sepamos que Dios nuestro Padre está cerca de nosotros. Dios nos ayuda a aprender a confiar en Dios.

Jesús dijo: "No se preocupen por su vida. No se preocupen por lo que comerán, beberán o vestirán. Preocuparse no alargará ni un minuto de su vida".

"Miren las aves que vuelan y las flores que crecen. Las aves en el cielo no trabajan. Sin embargo, Dios les da el alimento que ellas necesitan para vivir".

"Sean como las flores que crecen silvestres. Ellas no trabajan pero Dios las ayuda a crecer fuertes. Dios provee para todos. Y proveerá para ustedes también".

adaptado de Mateo 6:25–34

Descansar en las manos de Dios

Cuando confías en Dios sientes como si él te sostuviera en sus manos. Cierra tus ojos. Imagina que estás siendo sostenido por Dios. ¿Cómo se siente? Escribe tus ideas.

_____

_____

_____

Leyendo la Palabra de Dios

Confíen en el poder de Dios. Pongan en sus manos todas sus preocupaciones porque él cuida de ustedes. *adaptado de 1 Pedro 5:6–7*

Name _____   Date _____

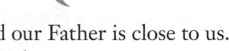

Art Print 3 shows a playful view of the earth from space. How does God care for the earth and for us?

Trust in God

Jesus wants us to know that God our Father is close to us. Jesus helps us learn to trust in God.

> Jesus said, "Do not worry about your life. Do not worry about what you will eat or drink or what you will wear. Worrying will not add one minute to your life."

> "See the birds that fly and the flowers that grow. The birds in the sky do not work. Yet God gives them the food they need to live."

> "Be like the flowers that grow wild. They do not work. But God helps them grow strong. God provides for all of them. And he will provide for you."
>
> *adapted from Matthew 6:25–34*

Resting in God's Hands

When you trust in God, you feel as if you are being held in his hands. Close your eyes. Imagine being held by God. How does it feel? Write your ideas.

_____

_____

_____

Reading God's Word

Trust in the power of God. Place all your cares in his hands because he cares for you.   *adapted from 1 Peter 5:6–7*

Nombre _____   Fecha _____

La Lámina de arte 4 nos muestra a Jesús trayendo luz a un mundo oscuro. ¿Cómo puedes traer la luz del Espíritu Santo a quienes te rodean?

La obra del Espíritu Santo

Aprendemos acerca de la bondad de Jesús a través del Espíritu Santo. El Espíritu Santo obra en nosotros y nos ayuda a hacer cosas buenas. No debemos esconder las cosas buenas que hacemos. Cuando otros ven el bien que hacemos brillamos como una luz para el mundo.

Jesús dijo: "Ustedes son la luz del mundo. No puede ocultarse una ciudad construida sobre un monte. No se enciende una lámpara para meterla en un cajón, sino que se pone en el candelero para que alumbre a todos en la casa. Brille también la luz de ustedes ante los hombres. Así, al ver sus buenas obras glorificarán al Padre de ustedes que está en el cielo".

adaptado de Mateo 5:14–16

Que brille la luz de las obras buenas

Cuando hacemos obras buenas sabemos que el Espíritu Santo nos está ayudando. Escribe acerca de algo bueno que hayas hecho por los demás. Escribe una obra buena que alguien haya hecho por ti.

_____

_____

_____

Leyendo la Palabra de Dios

Tú serás mi luz de las naciones para que mi salvación alcance a toda la tierra.

adaptado de Isaías 49:6

Name _____ Date _____

Art Print 4 shows Jesus bringing light to a dark world. How can you bring the light of the Holy Spirit to those around you?

The Work of the Holy Spirit

We learn about the goodness of Jesus through the Holy Spirit. The Holy Spirit works within us and helps us do good things. We should not hide the good things we do. When others see the good we do, we shine like a light to the world.

> Jesus said, "You are the light of the world. You cannot hide a city on a hill. No one lights a lamp and puts it under a basket. The lamp is put on a lamp stand. There it can give light to everyone in the house. Let your light shine on everyone you know. This way they will see the good things you do. Then they will praise God, the Father, in heaven."
>
> *adapted from Matthew 5:14–16*

Shine a Light on Good Deeds

When we do good things, we know the Holy Spirit is helping us. Write a good thing you have done for others. Write a good thing that someone has done for you.

_____

_____

_____

Reading God's Word

You will be my light to the ends of the earth so that all people may be saved.   *adapted from Isaiah 49:6*

Nombre _____ Fecha _____

La Lámina de arte 5 nos muestra la fracción del pan en la misa.
¿Cuál es tu parte favorita de la misa?

Celebramos el Tiempo Ordinario

Durante el Tiempo Ordinario celebramos a Jesús. Aprendemos a escuchar su mensaje y seguir su ejemplo.

El color litúrgico del Tiempo Ordinario es el verde. Verde es también el color de la naturaleza cuando todo crece. En el Tiempo Ordinario también crecemos. Crecemos al aprender más acerca de Jesús y al mostrar nuestro amor por Jesús y por los demás. Es un buen momento para reflexionar sobre todo lo que es bueno y poner en práctica todo lo que hemos aprendido.

La misa en el Tiempo Ordinario

Cuando vamos a misa vemos que el sacerdote viste una **casulla** verde. La casulla es la capa que el sacerdote lleva por encima de sus vestimentas cuando celebra misa.

Colorea de verde esta casulla como un símbolo del Tiempo Ordinario.

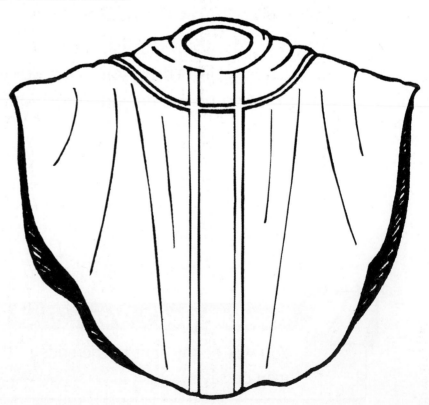

Name _____   Date _____

Art Print 5 shows the breaking of the bread at Mass.
What is your favorite part of the Mass?

We Celebrate Ordinary Time

During Ordinary Time we celebrate Jesus. We learn to listen to his message and follow his example.

Green is the color of Ordinary Time. It is also the color of nature when everything grows. We grow in Ordinary Time also. We grow by learning more about Jesus. We grow by showing our love for Jesus and others. It is a good time to reflect on all that is good and turn what we have learned into action.

Mass in Ordinary Time

When we go to Mass, we see the priest wearing a green **chasuble.** The chasuble is the outermost layer of a priest's vestments worn when celebrating Mass.

Color this chasuble green as a symbol of Ordinary Time.

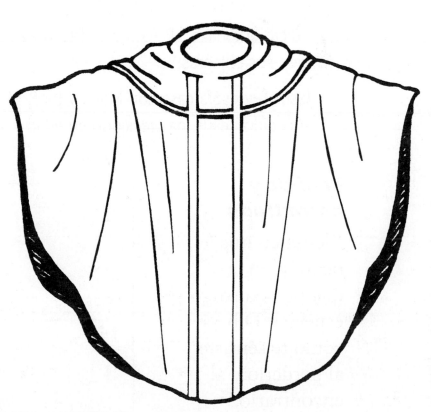

Nombre _____ Fecha _____

La Lámina de arte 6 *nos muestra a Jesús hablando con los maestros.* ¿De qué hablas tú con tus maestros?

Jesús con los maestros

Cuando Jesús tenía 12 años fue con sus padres a una fiesta que se celebraba en Jerusalén. Después de la celebración María y José emprendieron camino a casa junto con sus amigos. María y José pensaban que Jesús iba con ellos. Cuando no pudieron encontrarlo en el grupo, se preocuparon. Regresaron a Jerusalén buscando a Jesús. Tres días después lo encontraron en el Templo.

Jesús estaba sentado con los maestros, escuchándolos y haciéndoles preguntas. Cuando sus padres lo vieron se mostraron muy sorprendidos.

María le preguntó: "Hijo, ¿por qué nos has hecho esto? Estábamos preocupados por ti".

Jesús contestó: "Debo hacer lo que mi Padre, Dios, quiere que haga". Pero sus padres no entendieron bien sus palabras.

Jesús regresó a casa con María y José. María recordaba lo que había sucedido. Jesús iba creciendo en edad y sabiduría.

adaptado de Lucas 2:41–52

Perdido y encontrado

Piensa en una ocasión en la que perdiste algo especial. Dibuja cómo te sentiste al perderlo y al encontrarlo.

Perdido	Encontrado

Name _____   Date _____

Art Print 6 shows Jesus talking to the teachers.
What do you talk about with your teachers?

Jesus with the Teachers

When Jesus was 12 years old, he went with his parents to a festival in Jerusalem. After the festival Mary and Joseph headed for home with their friends. Mary and Joseph thought Jesus was traveling with them. When they could not find him, they became very worried. Mary and Joseph returned to Jerusalem to look for Jesus. After three days they found him in the Temple.

Jesus was sitting with the teachers, listening to them and asking questions. When his parents saw him, they were amazed.

Mary asked, "Son, why did you do this to us? We were very worried about you."

Jesus said, "I must do what my Father wants me to do." His parents did not completely understand.

Jesus returned home with Mary and Joseph. Mary remembered what happened. Jesus grew older and wiser.

adapted from Luke 2:41–52

Lost and Found

Think of a time you lost something special. Draw a picture of how you felt when it was lost and how you felt when it was found.

Lost	Found

La Lámina de arte 7 muestra a Jesús curando a un hombre ciego. La gente hablaba de los milagros de Jesús. ¿Qué dices cuando hablas de Jesús?

Jesús sana

Jesús ayudó a muchas personas necesitadas. Le devolvió la vista a los ciegos. Sanó a personas que no podían caminar. Estos son ejemplos de los **milagros** de Jesús.

En esa época había un hombre santo que se llamaba Juan el Bautista. Él enseñaba a la gente acerca de la venida del Mesías. Algunos de sus seguidores le hablaron de Jesús. Juan los envió adonde estaba Jesús para que le preguntaran: "¿Eres tú al que estamos esperando o debemos seguir buscando?".

Jesús les respondió: "Vayan y díganle a Juan lo que han visto y oído. Los ciegos ven, los enfermos se curan, los sordos oyen y los muertos resucitan. Los pobres escuchan la Buena Nueva de que Dios los ama".

adaptado de Lucas 7:18–22

Amar a través de las obras

Piensa en maneras en las que puedes ser como Jesús ayudando a los demás. Escribe dos cosas que puedes hacer para ayudar a los demás.

_____

_____

Leyendo la Palabra de Dios

Se abrirán los ojos del ciego y los oídos del sordo.

adaptado de Isaías 35:5

Name _____ Date _____

Art Print 7 shows Jesus healing a blind man. People talked about Jesus' miracles. What do you tell others about Jesus?

Jesus Heals

Jesus helped many people who were in need. He gave sight to those who could not see. He healed people who could not walk. These are examples of Jesus' **miracles.**

At the same time, there was a holy man named John the Baptist. He was teaching people about the coming of the Messiah. Some of John's followers told him about Jesus. So John sent them to ask Jesus, "Are you the one we are waiting for, or should we keep looking?"

Jesus said to John's followers, "Go and tell John what you have seen and heard. The blind see again. The sick get well. The deaf hear, and the dead are raised. The poor hear the good news that God loves them.

adapted from Luke 7:18–22

Love Through Actions

Think about ways you can be like Jesus by helping people. Write two things you can do to help others.

_____

_____

Reading God's Word

The eyes of the blind and the ears of the deaf will be opened.

adapted from Isaiah 35:5

La Lámina de arte 8 muestra la parábola del banquete. ¿De qué manera Dios nos acoge a todos? ¿Cómo acogemos a los demás?

La parábola del banquete

Jesús a menudo contaba una **parábola**, o historia, para enseñar una lección importante. Esta parábola cuenta cómo todos están invitados a seguir a Dios.

Un hombre daba un gran banquete al que invitó a muchas personas. El día del banquete envió a su sirviente a decir a los invitados: "Vengan, ya todo está preparado".

Pero todos, uno tras otro se fueron disculpando. El primero dijo: "He comprado un terreno y tengo que ir a verlo". El segundo dijo: "Tengo que cuidar de los animales que he comprado".

El sirviente volvió a informar al dueño de casa. Este, irritado, dijo al sirviente: "Ve a las plazas y calles de la ciudad y trae aquí a pobres, mancos, ciegos y cojos". Aún así quedaba espacio para más invitados.

El señor dijo al sirviente: "Ve a los caminos y veredas y tráelos hasta que se llene la casa".

adaptado de Lucas 14:16–23

La invitación de Dios

Escribe una nota dando gracias a Dios por invitarte a estar cerca de él.

_____

_____

_____

_____

_____

Name _____ Date _____

Art Print 8 shows the parable of the banquet. How does God welcome everyone? How do we welcome others?

The Parable of the Banquet

Jesus often told a **parable,** or story, to teach an important lesson. This parable tells how everyone is invited to follow God.

A man planned a dinner party and invited many people. On the day of the party, the man sent his servant to tell the guests, "Come, everything is ready."

One by one, the guests made excuses. One said, "Sorry, but I must check the new land I bought." Another said, "I must take care of the animals I bought."

The servant reported to the master who got very angry. He said, "Go into the town. Bring the poor and the sick, the blind and the lame." Even so, there was still room for more guests.

The master said, "Go out to the streets and highways. Have people come and fill my house."

adapted from Luke 14:16–23

God's Invitation

Write a note thanking God for his invitation to be close to him.

Nombre _____ Fecha _____

La Lámina de arte 9 *muestra una escultura de Jesús como el buen* *pastor. ¿Cómo eres un buen pastor en la casa o en la escuela?*

Jesús, nuestro Pastor

Un pastor cuida de sus ovejas.
Jesús cuida de nosotros.

Un pastor guía su rebaño. Las ovejas
lo siguen. Jesús nos guía a través
de sus palabras y obras. Nosotros
seguimos a Jesús.

Un pastor busca a cualquier oveja
que se pierda. Jesús siempre nos
ayuda a que volvamos a él.

Un pastor da de comer a su rebaño.
Jesús nos alimenta a través de la Eucaristía.

El buen pastor

Haz un dibujo de Jesús como tu pastor.

Name _____   Date _____

Art Print 9 shows a sculpture of Jesus as the Good Shepherd.
How are you a good shepherd at home or school?

Jesus, Our Shepherd

A shepherd cares for his sheep.
Jesus cares for us.

A shepherd leads his flock. The sheep
follow. Jesus leads us through his
words and actions. We follow Jesus.

A shepherd searches for any sheep
that stray. Jesus will always help us
come back to him.

A shepherd feeds his flock. Jesus
feeds us through thc Eucharist.

The Good Shepherd

Draw a picture of Jesus as your shepherd.

Nombre _____   Fecha _____

La Lámina de arte 10 *muestra una corona de Adviento.*
¿Cómo ilumina Jesús nuestro camino?

Preparando el camino para Jesús

El Adviento es un tiempo de espera y de preparación para celebrar el nacimiento de Jesús. El Adviento es también un tiempo de luces. Vemos las velas en la corona de Adviento. Las casas y los árboles se decoran con luces de colores.

Las luces nos recuerdan que Jesús ilumina nuestro camino al amor y la felicidad. Podemos hacer muchas cosas para dar espacio a la luz de Jesús en nuestro corazón. Podemos rezar, podemos hacer obras buenas. También podemos disfrutar de las costumbres familiares para recordar el verdadero significado de la Navidad.

Dar cabida a la luz de Jesús

Haz una lista de cosas específicas que harás en este Adviento para dar cabida a la luz de Jesús en tu corazón. Luego dibuja cómo te sientes cuando ya no tienes que esperar más porque ha llegado la Navidad.

> Cosas que puedo hacer en
> este Adviento
>
> _____
>
> _____
>
> _____

Name _____   Date _____

Art Print 10 shows an Advent wreath.
How does Jesus light our way?

Lighting the Way for Jesus

Advent is a time of waiting and getting ready to celebrate the birth of Jesus. Advent is also a time of lights. We see lighted candles on the Advent wreath. Homes and trees are decorated with colorful lights.

Lights remind us that Jesus lights our way to love and happiness. We can do many things to make room for Jesus' light in our hearts. We can pray. We can do good deeds. We can enjoy family customs to remember the true meaning of Christmas.

Making Room for Jesus' Light

Write a list of specific things you will do this Advent to make room for the light of Jesus. Then draw a picture that shows how you feel when the waiting is over and Christmas has come.

Things I Can Do This Advent

_____

_____

_____

_____

Nombre _____   Fecha _____

La Lámina de arte 11 muestra un bello árbol florido. ¿Qué cosas bellas crecen en ti a medida que te acercas más a Dios?

Jesús es la vid

Da un paseo. Fíjate en las ramas de los árboles. Las ramas más fuertes son como las personas que viven cerca de Dios. Dios nos ayuda cuando lo invitamos a nuestra vida. Podemos pedir a Dios que nos guíe.

> Jesús dijo: "Yo soy la vid y mi Padre es el viñador. Él corta los sarmientos que no dan fruto para que los demás estén fuertes. Ustedes son fuertes porque han escuchado lo que yo les he dicho".
>
> Jesús continuó: "Un sarmiento no puede crecer fuerte si no permanece en la vid. Ustedes no podrán crecer fuertes si no están cerca de mí. Quien esté cerca de mí crecerá fuerte".
>
> *adaptado de Juan 15:1–5*

Crecer como una vid

Escribe dos maneras en las que puedes acercarte más a Dios.

_____

_____

Leyendo la Palabra de Dios

El fruto del Espíritu es amor, alegría, paz, paciencia y amabilidad.

adaptado de Gálatas 5:22

Name _____ Date _____

Art Print 11 shows a beautiful flowering tree. What beautiful things are growing in you as you grow closer to God?

Jesus Is the Vine

Take a walk. Look at the branches on trees. The healthy branches are like people who live close to God. God helps us when we invite him into our lives. We can ask God to guide us.

> Jesus said, "I am the vine, and my Father is the vine grower. He helps the good branches become healthier. You are already healthy because you have listened to what I have said."
>
> Jesus continued, "A branch cannot grow strong unless it stays on the vine. You cannot grow strong unless you stay close to me. Whoever stays close to me will grow strong."
>
> *adapted from John 15:1–5*

Grow Like a Vine

Write two ways you can grow closer to God.

_____

_____

Reading God's Word

The fruit of the Spirit is love, joy, peace, patience, and kindness.

adapted from Galatians 5:22

La Lámina de arte 12 nos muestra a Jesús hablando con un hombre que está en un árbol. ¿Sobre qué te gustaría hablar hoy con Jesús?

Zaqueo, el hombre rico

Zaqueo era un recaudador de impuestos. Era un hombre muy rico. Un día Zaqueo escuchó que Jesús pasaría por el pueblo. Zaqueo deseaba ver a Jesús. Pero Jesús iba acompañado de una multitud de personas y Zaqueo no era alto. No podía ver por encima de la gente.

Zaqueo se adelantó y se subió a un árbol. Jesús lo vio y le dijo: "Zaqueo, baja. Esta noche me quedaré en tu casa". Esto hizo muy feliz a Zaqueo.

Muchos de los presentes se enfadaron. No entendían por qué Jesús se quedaría en la casa de un pecador.

Zaqueo dijo a Jesús: "Daré la mitad de todo lo que tengo a los pobres. Le devolveré el dinero a todos los que he engañado".

Jesús estaba muy contento. Le dijo a Zaqueo que ese día se había salvado. *adaptado de Lucas 19:2–9*

Perdonarnos unos a otros

Jesús perdonó a Zaqueo. Escribe lo que significa para ti perdonar.

Perdonar significa _____

_____.

Leyendo la Palabra de Dios

Vendan sus bienes y den a los que no tienen. Su verdadero tesoro está con el Señor. Ningún ladrón podrá robárselo.

adaptado de Lucas 12:33

© LOYOLA PRESS.

Name _____ Date _____

*Art Print 12 shows Jesus talking with a man who is in a tree.
What would you like to talk with Jesus about today?*

Zacchaeus, the Rich Man

Zacchaeus was a tax collector. He was very rich. One
day he heard that Jesus was coming through town.
Zacchaeus wanted to see Jesus very much. But
Jesus was walking in a big crowd, and
Zacchaeus was not tall. He could not see
over the crowd.

Zacchaeus ran ahead and climbed up a tree.
Jesus saw him and said, "Zacchaeus, come down. I want to
stay at your house today." This made Zacchaeus very happy.

The people in the crowd became angry. They wondered why
Jesus was going to the home of a sinner.

Zacchaeus said to Jesus, "I will give half of everything I have
to the poor. I will give money back to anyone I have cheated."

Jesus was pleased. He said that Zacchaeus was saved that day.

adapted from Luke 19:2–9

Forgive One Another

Jesus forgave Zacchaeus. Write what forgiveness means to you.

Forgiveness means _____

_____ .

Reading God's Word

Sell what you have and give to those who do not have much.
Your treasure is with the Lord. No thief can steal that from you.

adapted from Luke 12:33

Nombre _____   Fecha _____

La Lámina de arte 13 *muestra a cuatro amigos bajando a un hombre a través de un techo. ¿Cómo ayudarías a un amigo que quisiera ver a Jesús?*

Jesús sana

Jesús estaba hablando con unas personas en una casa. La gente se amontonaba en las habitaciones y pasillos para escucharlo.

Cuatro hombres acarreaban a un amigo que quería ver a Jesús. Era paralítico y no podía caminar. Los hombres subieron al techo de la casa, abrieron un hueco y bajaron por ahí al amigo hasta donde estaba Jesús.

Jesús vio su fe y le dijo al hombre paralítico: "Tus pecados son perdonados". Al oírlo algunos dijeron: "¡Solo Dios puede perdonar los pecados!".

Jesús les explicó que él tenía el poder de perdonar pecados. Se volvió al paralítico y le dijo: "¡Levántate y camina de regreso a casa!". El hombre se levantó y salió caminando. La multitud estaba asombrada. Supieron que Jesús tenía que ser Dios.

adaptado de Marcos 2:1–12

Amistad

Haz un dibujo de alguna ocasión en que hayas ayudado a un amigo. Escribe una palabra en la línea de abajo que describa cómo te sentiste después.

_____

Name _____   Date _____

Art Print 13 shows four friends lowering a man through the roof. How would you help a friend who wanted to see Jesus?

Jesus Heals

Jesus was talking with some people in a house. The people crowded the rooms and blocked the doorways.

Four men came carrying their friend who wanted to see Jesus. He was paralyzed and could not walk. The men climbed to the roof and made an opening. They lowered their friend to Jesus.

Jesus saw their faith. He said to the man who was paralyzed, "Your sins are forgiven." Some people said, "Only God can forgive sins!"

Jesus told the people that he had the power to forgive sins. He turned to the man who was paralyzed and said, "Stand up and walk home." The man got up and walked away. The people were amazed. They knew that Jesus must be God.

adapted from Mark 2:1–12

Friendship

Draw a picture of a time that you helped a friend. Write one word on the line below that describes how you felt afterward.

_____

Nombre _____   Fecha _____

La Lámina de arte 14 muestra a la Virgen María con flores. Si le pudieras dar un regalo a María, ¿cuál sería?

Madre de la Iglesia

Al igual que María, la Iglesia tiene una relación especial con Dios.

La Iglesia está formada por personas que han sido llamadas por Dios. La Iglesia muestra lo mucho que Dios ama al mundo. Dios nos ama a todos.

María es la Madre de la Iglesia. Ella recibió ayuda de Dios para que lo siguiera.

Dios nos da la misma ayuda, o gracia, a nosotros. María ruega por nosotros para que podamos escuchar a Dios.

Mujeres especiales

María es una mujer especial en nuestra fe. Dibuja a una mujer que sea especial en tu vida. Escribe una palabra que la describa.

Leyendo la Palabra de Dios

María recordaba todas estas cosas y las guardaba en su corazón.

adaptado de Lucas 2:19

Name _____ Date _____

*Art Print 14 shows the Virgin Mary with flowers.
If you could give Mary a gift, what would it be?*

Mother of the Church

Like Mary, the Church has a special
relationship with God.

The Church is made up of people who are
called by God. The Church shows how much
God loves the world. God loves everyone.

Mary is the Mother of the Church.
She received God's help to follow him.

God gives us the same help,
or grace. Mary prays for us
so that we will listen to God.

Special Women

Mary is a special woman in
our faith. Draw a picture
of a special woman in your
life. Write a word that
describes her.

_____

Reading God's Word

Mary remembered all these things and kept them always
in her heart.

adapted from Luke 2:19

Nombre _____   Fecha _____

La Lámina de arte 15 nos muestra la escena del pesebre en Belén.
Imagínate en el pesebre. ¿Dónde te gustaría estar?

El día de Navidad

El día de Navidad celebramos el misterio
del nacimiento de Jesús.

La Navidad es un tiempo para celebrar con
nuestras familias. Es también un tiempo
para compartir con nuestros amigos.
Familiares y amigos se reúnen en la iglesia
para celebrar el nacimiento de Jesús.

La Navidad también es un tiempo de entrega. Dios
nos entregó a su único Hijo. Cuando veas una escena
de la Natividad acuérdate del don más grande de Dios
mientras observas a María, José y al niño Jesús.

El día de Navidad se entregan
y abren regalos de
familiares y amigos. Tú
también eres un regalo.
Muestra tus talentos y
compártelos con los demás
por Navidad.

Tú eres un regalo

Escribe una lista de
talentos que puedas
compartir con los demás
en Navidad.

_____

_____

_____

_____

_____

_____

Name _____ Date _____

Art Print 15 shows the manger scene in Bethlehem.
Imagine yourself at the manger. Where would you like to be?

The Feast of Christmas

The feast of Christmas celebrates the mystery of Jesus' birth.

Christmas is a time to celebrate with our families. It is a time to share with friends. Families and friends gather in church to celebrate the birth of Jesus.

Christmas is also a time for giving. God gave his only Son to us. When you look at a Nativity scene, remember God's greatest gift as you observe Mary, Joseph, and the baby Jesus.

Gifts from family and friends are given and unwrapped at Christmas. You are a gift as well. Unwrap your talents and share them with others for Christmas.

You Are a Gift

Write a list of talents you can unwrap for Christmas to share with others.

Nombre _____ Fecha _____

La Lámina de arte 16 muestra a san Pedro sosteniendo dos llaves. ¿De qué maneras eres un líder para los demás?

Pedro habla al pueblo

Jesús escogió a Pedro para que liderara la Iglesia. Él quería que Pedro les mostrara a todos cómo estar cerca de Dios.

> Pedro les dijo: "Cambien sus vidas y bautícense en el nombre de Jesucristo. Así serán perdonados sus pecados y recibirán el don del Espíritu Santo".
>
> *adaptado de Hechos de los Apóstoles 2:38*

San Pedro es un líder

Un líder no es el que sea primero ni el más grande. Un líder es alguien que sirve a los demás. Un líder ayuda a los demás a dar lo mejor de sí mismos. Dibuja a dos líderes. Pueden ser líderes de la escuela, la Iglesia, la comunidad, el estado, nacionales o internacionales. Reza una oración por ellos cada día.

EXPLORE ART PRINT 16

Name _____ Date _____

Art Print 16 shows Saint Peter holding two keys.
In what ways are you a leader?

Peter Speaks to the People

Jesus chose Peter to lead the Church. He wanted Peter to keep showing people how to be close to God.

> Peter said to the people, "Change your lives and be baptized in the name of Jesus Christ. Then your sins will be forgiven. You will receive the gift of the Holy Spirit."
>
> *adapted from Acts of the Apostles 2:38*

Saint Peter Is a Leader

A leader is not the first or the greatest person. A leader is someone who serves others. A leader helps others become the best they can be. Draw pictures of two leaders. They can be school, Church, community, state, country, or world leaders. Pray a prayer for them each day.

© LOYOLA PRESS.

Nombre _____   Fecha _____

La Lámina de arte 17 *muestra a niños y adultos caminando hacia una iglesia en el campo. ¿Cómo te preparas para ir a misa?*

Somos miembros de la Iglesia

Los seguidores de Jesús hacen que todas las personas se sientan bienvenidas en la iglesia. Cuando vas a misa te reúnes con otras personas para rendir culto. Cuando sales de la iglesia tu tarea no ha terminado. Continúas la obra de Jesús. Los miembros de una parroquia también ofrecen su tiempo y talentos para servir a los demás. A esto se le llama **ministerio**. El ministerio es el servicio o la obra que se hace para los demás.

Haz una lista de las cosas que haces dentro de la iglesia como seguidor de Jesús. Luego haz una lista de las cosas que haces fuera de la iglesia. Escribe tus ideas en la tabla.

En la iglesia	Fuera de la iglesia
_____	_____
_____	_____
_____	_____
_____	_____
_____	_____

Conexión con la liturgia

Muchas iglesias tienen ministros de hospitalidad que le dan la bienvenida a las personas cuando llegan a la iglesia para la misa.

Name _____ Date _____

Art Print 18 shows a plaque with symbols of the four Gospel writers.
If you were a Gospel writer, what would you write about Jesus?

The Four Gospels

At Mass we listen to God's Word in the Bible.
When it is time for the Liturgy of the Word, what
do you see and hear? The priest or deacon reads
from the *Lectionary for Mass*. He reads a story
about Jesus' life from one of the four Gospels.
It is one part of the Liturgy of the Word.

MATTHEW

The Gospels are from a part of the Bible called
the New Testament. The Gospel writers are
Matthew, Mark, Luke, and John. They are
called **Evangelists.**

MARK

The Evangelists are often shown as symbols.
Matthew is a winged man. Mark is a winged lion.
Luke is a winged ox. John is an eagle.

Symbol Match

Think about the meaning for each symbol.
Draw a line from each symbol to its meaning.

LUKE

1. winged man ●   ● **a.** strength, sacrifice

2. winged lion ●   ● **b.** swift, Heaven

3. winged ox   ●   ● **c.** human, thinking

4. eagle   ●   ● **d.** courage, royalty

JOHN

La Lámina de arte 19 muestra a Jesús y sus discípulos celebrando juntos una cena. Si estuvieras a la mesa con Jesús, ¿qué te gustaría preguntarle?

La Última Cena

Jesús se sentó a la mesa con sus discípulos y les dijo: "Quiero compartir esta cena con ustedes".

Entonces tomó el pan, lo bendijo y lo partió. Se lo dio a ellos diciendo: "Esto es mi cuerpo que será dado por ustedes. Hagan esto en memoria mía".

Después de la cena, tomó una copa de vino y dijo: "Esta es mi sangre que será dada por ustedes".

adaptado de Lucas 22:14–20

Gracias, Dios

Escribe una nota de agradecimiento dentro de la caja, dando gracias a Dios por el don de su Hijo.

_____

_____

_____

_____

_____

Leyendo la Palabra de Dios

Jesús se sacrificó a sí mismo por nuestros pecados. Él está con nosotros para siempre.   *adaptado de Hebreos 10:12*

Name _____ Date _____

*Art Print 19 shows Jesus and his disciples having a meal together.
If you were at the table with Jesus, what would you like to ask him?*

The Last Supper

Jesus sat at the table with his disciples. He said, "I want to share this supper with you."

Then Jesus took the bread. He blessed it and broke it. He gave it to them and said, "This is my body which will be given for you. Do this in memory of me."

After the meal he took a cup of wine. He said, "This is my blood. It is given for you."

adapted from Luke 22:14–20

Thank You, God

Write a thank-you note inside the gift box, thanking God for the gift of his Son.

Reading God's Word

Jesus sacrificed himself for our sins. He is with God forever.

adapted from Hebrews 10:12

La Lámina de arte 20 muestra a Jesús colgado en la cruz. ¿Conoces a alguien que lleve una cruz en una cadena al cuello? ¿Qué crees que significa eso?

Cuaresma y Semana Santa

La Cuaresma comienza el Miércoles de Ceniza. Ese día nos marcan la frente con ceniza como signo de que estamos arrepentidos de nuestros pecados.

La última semana de la Cuaresma es la Semana Santa. Es un tiempo especial para recordar. Recordamos todo lo que llevó a la muerte y Resurrección de Jesús.

El Domingo de Ramos recordamos la entrada triunfal de Jesús en Jerusalén. El Jueves Santo recordamos que Jesús se entregó a nosotros en la Eucaristía. El Viernes Santo recordamos el sufrimiento y la muerte de Jesús. En la misa de vigilia del Sábado Santo celebramos la Resurrección de Jesús.

Jesús murió por nuestros pecados para que podamos vivir una vida nueva. Con la ayuda de Jesús podemos aprender a cuidar de los demás como hizo él.

Acerca de la Cuaresma

Completa cada oración con una palabra del recuadro.

| cambiamos | recordar | preparamos |

1. La Cuaresma es un tiempo para _____ lo que Jesús ha hecho por nosotros.

2. Durante la Cuaresma nos _____ para la Pascua.

3. Durante la Cuaresma _____ nuestra manera de ser para seguir a Jesús.

Name _____ Date _____

Art Print 20 shows Jesus hanging on the cross. Do you know someone who wears a cross on a necklace? What do you think that means?

Lent and Holy Week

Lent begins with Ash Wednesday. Ashes are put on our foreheads. The ashes are a sign that we are sorry for our sins.

The last week of Lent is Holy Week. It is a special time for remembering. We remember all that happened leading to Jesus' Death and Resurrection.

On Palm Sunday we remember Jesus' entrance into Jerusalem. On Holy Thursday we recall how Jesus gave himself to us in the Eucharist. On Good Friday we remember how Jesus suffered and died. At the vigil Mass on Holy Saturday, we celebrate Jesus' Resurrection.

Jesus died for our sins so that we could live a new life. With Jesus' help we can learn to care for others as Jesus did.

About Lent

Write a word from the word box to finish each sentence.

change	remember	prepare

1. Lent is a time to _____ what Jesus has done for us.

2. During Lent we _____ for Easter.

3. During Lent we _____ our ways to follow Jesus.

Nombre _____ Fecha _____

La Lámina de arte 21 muestra el plan de Jesús para la verdadera felicidad, al que llamamos las Bienaventuranzas. ¿De qué manera el seguir a Jesús te hace feliz?

Ayudar a los demás

Mucha gente vino a oír a Jesús. Él les habló de cómo vivir una vida feliz. Les dio un plan a seguir. A este plan lo llamamos las **Bienaventuranzas**. Las Bienaventuranzas nos ayudan a vivir más como Jesús.

Una Bienaventuranza nos enseña a ayudar a los demás. Ayudamos a los demás cuando compartimos con ellos y mostramos bondad con nuestras palabras y nuestra forma de comportarnos.

> Jesús dijo: "Felices los que son buenos con los demás. Ellos serán tratados con bondad".
>
> *adaptado de Mateo 5:7*

Bienaventurados los buenos

Escribe sobre alguna ocasión en que mostraste bondad y alguien fue bondadoso contigo.

_____

_____

_____

_____

Conexión con la liturgia

Al final de la misa somos bendecidos y enviados a glorificar a Dios. El sacerdote o diácono dice: "Podeis ir en paz". Nosotros respondemos: "Demos gracias a Dios".

Name _____ Date _____

Art Print 21 shows Jesus' plan for true happiness that we call the Beatitudes. How does following Jesus make you happy?

Reaching Out to Others

Many people came to hear Jesus. He talked to them about ways to live a happy life. He gave them a plan to follow. This plan is called the **Beatitudes.** The Beatitudes help us to live more like Jesus.

One Beatitude teaches us to reach out to others. We do this by sharing, helping, and showing kindness in our words and actions.

> Jesus said, "Blessed are those who are kind to others. They shall have kindness shown to them."
>
> *adapted from Matthew 5:7*

Blessed Are the Kind

Write about a time you showed kindness and about a time someone was kind to you.

_____

_____

_____

_____

Link to Liturgy

At the end of Mass, we are blessed and sent forth. The priest or deacon says, "Go forth, the Mass is ended." We say, "Thanks be to God."

Nombre _____   Fecha _____

La Lámina de arte 22 muestra a Moisés recibiendo los Diez Mandamientos de Dios. ¿Cómo puedes demostrar que conoces los mandamientos?

Cumplir las leyes de Dios

Moisés fue un gran líder del pueblo judío. Los llevó a la libertad y les recordó por qué era tan importante hacer lo que Dios quería que hicieran.

> Moisés dijo: "Buenas cosas pasarán si obedecen los Diez Mandamientos. Amen a Dios y cumplan sus leyes. Entonces serán bendecidos".

> "También pueden elegir no seguir a Dios. Entonces no serán bendecidos. La decisión es suya".
>
> *adaptado de Deuteronomio 30:16–18*

Elegir a Dios

Lee cada oración. Verás que en todas hay una palabra con las letras fuera de orden. Traza una línea desde la oración hasta la palabra correcta.

1. **soMéis** fue un gran líder. ●   ● **a.** libertad

2. Moisés llevó a su pueblo a la **dbtilera**. ●   ● **b.** Mandamientos

                                                          ● **c.** Moisés

3. Obedezcan los **niMdoanmetas**. ●

Leyendo la Palabra de Dios

Jesús dijo: "Yo soy el camino, la verdad y la vida".

adaptado de Juan 14:6

Name _____ Date _____

Art Print 22 shows Moses receiving the Ten Commandments from God. How can you show that you know the commandments?

Follow God's Laws

Moses was a great leader of the Jewish people. He led them to freedom. He reminded them why it was important to do what God wanted.

Moses said, "Good things will happen if you obey the Ten Commandments. Love God and follow his laws. Then you will be blessed."

"You can also choose not to follow God. Then you will not be blessed. The choice is yours to make."
adapted from Deuteronomy 30:16–18

Choose God

Read each sentence. One word is scrambled. Draw a line from the sentence to the unscrambled word.

1. **osMse** was a great leader. ●   ● a. freedom

2. Moses led the people to **dmerfeo**. ●   ● b. Commandments

3. Obey the **manCommnetsd**. ●   ● c. Moses

Reading God's Word

Jesus said, "I am the way, the truth, and the life."

adapted from John 14:6

Nombre _____   Fecha _____

La Lámina de arte 23 muestra a amigos jugando y trayendo alegría al vecindario. ¿Eres un buen vecino donde vives?

Ama a tu prójimo

Jesús hablaba con frecuencia de amarnos unos a otros. Nos enseña que todas las personas son nuestro prójimo y que debemos amarlas como a nosotros mismos.

Las enseñanzas de Jesús nos dicen: "Si ves a alguien que necesita ayuda, no le cierres el corazón a esa persona. Tu amor no será solo las palabras que dices. El amor se muestra con obras."

adaptado de 1 Juan 3:17–18

Amor en acción

Jesús nos enseña a amar a los demás como a nosotros mismos. Escribe algunas maneras en las que muestras amor en tu vida.

Personas que amas	Cosas que amas
_____	_____
_____	_____
¿Qué dices para mostrar amor?	**¿Qué haces para mostrar amor?**
_____	_____
_____	_____
_____	_____

© LOYOLAPRESS.

Name _____ Date _____

Art Print 23 shows friends playing and bringing joy to their neighborhood. How are you a good neighbor where you live?

Love Your Neighbor

Jesus often spoke about loving one another. He teaches us that all people are our neighbors and that we should love them as we do ourselves.

> Jesus' teachings tell us, "If you see a neighbor who needs help, do not close your heart to this person. Your love is not to be just words you say. Love must be something that you do."

adapted from 1 John 3:17–18

Love in Action

Jesus teaches us to love others as we love ourselves. Write some ways you show love in your life.

Name people you love.	**Name things you love.**
_____	_____
_____	_____
What do you say to show love?	**What do you do to show love?**
_____	_____
_____	_____
_____	_____

Nombre _____ Fecha _____

La Lámina de arte 24 muestra a una madre enseñando a caminar a su hijo. ¿Cómo aprendemos a ayudar a los demás?

Respetar a los demás

Dios quiere que tratemos a todo el mundo con amor y bondad. Nos enseña que seremos felices si mostramos respeto por los demás y por sus sentimientos.

Podemos mostrar respeto al
- vivir en paz con los demás.
- decir cosas buenas unos de otros.
- devolver lo que pedimos prestado.

Mantener la paz

Escribe maneras en que puedes ser un pacificador mostrando respeto.

Muestro respeto a mi familia cuando _____

_____.

Muestro respeto a mis amigos y vecinos cuando _____

_____.

Conexión con la liturgia

El darnos la paz en la misa es una manera de mostrar respeto a los demás.

Name _____ Date _____

Art Print 24 shows a mother teaching her son to walk.
How do we learn to help one another?

Respect Others

God wants us to treat everyone with love and kindness. He teaches us that we will be happy if we show respect for others and their feelings.

We can show respect by
- ▶ living in peace with others.
- ▶ saying kind things about one another.
- ▶ returning things we borrow.

Keeping the Peace

Write ways that you can be a peacemaker by showing respect.

I show respect to my family when I _____

_____.

I show respect to friends and neighbors when I _____

_____.

Link to Liturgy

At Mass the sign of peace is one way we show respect for others.

La Lámina de arte 25 muestra un ramo de lirios. Si le pudieras regalar un ramo de flores a Jesús resucitado, ¿qué tipo de flores le darías? ¿Por qué?

Celebramos la Pascua

La Pascua es el tiempo más alegre del año de la Iglesia. El Domingo de Pascua celebramos la Resurrección de Jesús de entre los muertos. Durante el tiempo de Pascua también recordamos la Ascensión de Jesús al cielo. Jesucristo está allí con Dios Padre.

El tiempo litúrgico de la Pascua dura 50 días y termina el Domingo de Pentecostés. Ese día el Espíritu Santo vino a los discípulos. Ellos entonces salieron a proclamar a Jesús al mundo.

Jesús nos trae el don de la Salvación. Podemos vivir en paz sabiendo que hemos sido salvados.

Aleluya

Escribe una oración de Pascua. Termina con *Aleluya*.

_____

_____

_____

_____

_____

Name _____ Date _____

Art Print 25 shows a bouquet of lilies. If you could give the risen Jesus a bouquet of flowers, what kind would you give? Why?

We Celebrate Easter

Easter is the most joyful season of the Church year. On Easter Sunday we celebrate Jesus' Resurrection from the dead. During the Easter season, we also remember Jesus' Ascension into Heaven. Jesus Christ is there with God the Father.

The Easter Season lasts 50 days. It ends on Pentecost Sunday. On that day the Holy Spirit came to the disciples. Then they went out to tell the world about Jesus.

Jesus brings us all the gift of Salvation. We can live in peace, knowing that we have been saved.

Alleluia

Write an Easter prayer. End with *Alleluia*.

_____

_____

_____

_____

_____

Glosario

A

absolución el perdón de Dios. En el sacramento de la Penitencia y la Reconciliación decimos que estamos arrepentidos de nuestros pecados. Entonces el sacerdote nos ofrece la absolución de Dios. [absolution]

Adviento las cuatro semanas antes de la Navidad. Es un tiempo de preparación gozosa para la celebración del nacimiento de Jesús. [Advent]

agua bendita agua que ha sido bendecida. Se usa para recordarnos nuestro Bautismo. [holy water]

alabanza la expresión de la felicidad que sentimos simple y sencillamente porque Dios es muy bueno. [praise]

Aleluya oración de alabanza a Dios. Se suele cantar antes de la lectura del Evangelio en la misa. [Alleluia]

altar la mesa sobre la cual el sacerdote celebra la misa en la iglesia. El pan y el vino son ofrecidos a Dios en esta mesa, convirtiéndose en el Cuerpo y la Sangre de Jesucristo. [altar]

ambón plataforma desde la cual una persona lee la Palabra de Dios durante la misa. [ambo]

Amén la última palabra de cualquier oración que rezamos. *Amén* significa "En verdad". Rezamos "Amén" para mostrar que estamos realmente de acuerdo con todo lo que acabamos de decir. [Amen]

ángel un mensajero de Dios. [angel]

Glossary

A

absolution the forgiveness of God. In the Sacrament of Penance and Reconciliation, we say that we are sorry for our sins. Then the priest offers us God's absolution. [absolución]

Advent the four weeks before Christmas. It is a time of joyful preparation for the celebration of Jesus' birth. [Adviento]

All Saints Day November 1, the day on which the Church honors all who have died and now live with God as saints in Heaven. These saints include all those who have been declared saints by the Church and many others known only to God. [Día de Todos los Santos]

All Souls Day November 2, the day on which the Church remembers all who have died as friends of God. We pray that they may rest in peace. [Día de Todos los Fieles Difuntos]

Alleluia a prayer of praise to God. It is usually sung before the Gospel Reading at Mass. [Aleluya]

altar the table in the church on which the priest celebrates Mass. On this table the bread and wine are offered to God and become the Body and Blood of Jesus Christ. [altar]

ambo a platform from which a person reads the Word of God during Mass [ambón]

Amen the last word in any prayer that we pray. *Amen* means "This is true." We pray "Amen" to show that we really mean the words we have just said. [Amén]

ángel de la guarda el ángel que ha sido designado para ayudar a una persona a acercarse más a Dios. [guardian angel]

Antiguo Testamento la historia del plan de Dios para la Salvación antes del nacimiento de Jesús. [Old Testament]

año litúrgico el calendario que nos indica cuándo celebrar las fiestas del nacimiento, vida, muerte, Resurrección y Ascensión de Jesús. [liturgical year]

B

báculo el cayado que lleva en la mano el obispo. Este cayado indica que el obispo cuida de nosotros del mismo modo en que un pastor cuida de sus ovejas. [crosier]

Bautismo el primero de los tres sacramentos mediante los cuales nos hacemos miembros de la Iglesia. El Bautismo nos libera del pecado original y nos da una vida nueva en Jesucristo a través del Espíritu Santo. [Baptism]

Biblia la historia escrita de la promesa de Dios de cuidar de nosotros, especialmente a través dc su Hijo, Jesús. [Bible]

Bienaventuranzas las ocho maneras en que podemos comportarnos para vivir una vida cristiana. Jesús explica que si vivimos de acuerdo con las Bienaventuranzas, nos convertimos en sus seguidores. [Beatitudes]

C

casulla la vestidura litúrgica visible que se pone el obispo o el sacerdote durante la misa. El sacerdote recién ordenado recibe una casulla como parte del ritual de la ordenación. [chasuble]

angel a messenger from God [ángel]

Ash Wednesday the first day of Lent. We receive ashes on our foreheads on this day to remind us that we should show sorrow for the choices we make that hurt our friendships with God and with others. [Miércoles de Ceniza]

B

Baptism the first of the three sacraments by which we become members of the Church. Baptism frees us from Original Sin and gives us new life in Jesus Christ through the Holy Spirit. [Bautismo]

Beatitudes the eight ways we can behave in order to lead a Christian life. Jesus explains that if we live according to the Beatitudes, we are living as his followers. [Bienaventuranzas]

Bible the written story of God's promise to care for us, especially through his Son, Jesus [Biblia]

bishop a leader in the Church. Bishops teach us what God is asking of us as followers of Jesus today. [obispo]

Blessed Sacrament the Eucharist that has been consecrated by the priest at Mass. It is kept in the tabernacle to adore and to be taken to those who are sick. [Santísimo Sacramento]

Body and Blood of Christ the Bread and Wine that has been consecrated by the priest at Mass [Cuerpo y Sangre de Cristo]

católica palabra que significa "por todo el mundo". La Iglesia es católica porque Jesús se la dio al mundo entero. [catholic]

celebrante el obispo o sacerdote que guía al pueblo durante la celebración de la misa. [celebrant]

celebrar alabar y adorar a Dios de un modo especial. [celebrate]

cielo la vida junto a Dios, plena de felicidad y que no tiene fin. [Heaven]

conciencia la voz interior que nos ayuda a cada uno de nosotros a saber qué es lo que Dios quiere que hagamos. [conscience]

confesión el acto de decirle nuestros pecados a un sacerdote en el sacramento de la Penitencia y la Reconciliación. [confession]

Confirmación el sacramento que completa la gracia que recibimos en el Bautismo. [Confirmation]

consagración el hacer que una cosa o persona sea especial para Dios mediante la oración. Durante la misa, las palabras del sacerdote consagran el pan y el vino. Esto los convierte en el Cuerpo y la Sangre de Jesucristo. [consecration]

contrición la tristeza que sentimos cuando sabemos que hemos pecado. [contrition]

creación todo lo que Dios ha hecho. Dios dijo que toda la creación es buena. [creation]

Creador Dios, que hizo todo lo que existe. [Creator]

Bread of Life a title for Jesus that tells us he is the Bread, or food, for the faithful [Pan de Vida]

C

catholic a word that means "all over the world." The Church is catholic because Jesus gave the Church to the whole world. [católica]

celebrant a bishop or priest who leads the people in praying the Mass [celebrante]

celebrate to praise and worship God in a special way [celebrar]

chasuble the visible liturgical vestment worn by the bishop or priest at Mass. The newly ordained priest receives a chasuble as part of the ordination ritual. [casulla]

Christ a title, like *Messiah*, that means "anointed with oil." It is the name given to Jesus after the Resurrection. [Cristo]

Christian the name given to people who want to live as Jesus taught us to live [cristiano]

Christmas the day on which we celebrate the birth of Jesus (December 25) [Navidad]

Church the name given to the followers of Christ all over the world. Spelled with a small *c*, *church* is the name of the building in which we gather to pray to God. [Iglesia]

cristiano el nombre otorgado a las personas que quieren vivir como Jesús nos enseñó. [Christian]

Cristo un título, semejante a Mesías, que significa "ungido con aceite". Es el nombre dado a Jesús después de la Resurrección. [Christ]

Cuaresma las seis semanas durante las que nos preparamos, por medio de oraciones y acciones especiales, para celebrar la Resurrección de Jesús de entre los muertos el Domingo de Pascua. Jesús resucitó de entre los muertos para salvarnos. [Lent]

Cuerpo y Sangre de Cristo el pan y el vino que han sido consagrados por el sacerdote en la misa. [Body and Blood of Christ]

D

decisión moral la decisión de hacer el bien. Optamos por tomar decisiones morales porque nos ayudan a estar más cerca de Dios. [moral choice]

Día de Todos los Fieles Difuntos El 2 de noviembre, día en el que la Iglesia recuerda a todos los que han muerto como amigos de Dios. Rezamos para que descansen en paz. [All Souls Day]

Día de Todos los Santos El 1 de noviembre, día en el que la Iglesia honra a todos los que han muerto y viven ahora con Dios, como santos, en el cielo. Estos santos incluyen todos los que han sido declarados santos por la Iglesia y muchos otros cuya santidad solo Dios conoce. [All Saints Day]

commandment a rule that tells us how to live as God wants us to live [mandamiento]

confession the act of telling our sins to a priest in the Sacrament of Penance and Reconciliation [confesión]

Confirmation the sacrament that completes the grace we receive in Baptism [Confirmación]

conscience the inner voice that helps each of us know what God wants us to do [conciencia]

consecration the making of a thing or person to be special to God through prayer. At Mass the words of the priest are a consecration of the bread and wine. This makes them the Body and Blood of Jesus Christ. [consagración]

contrition the sadness we feel when we know that we have sinned [contrición]

creation everything that God has made. God said that all of creation is good. [creación]

Creator God, who made everything that is [Creador]

crosier the staff carried by a bishop. This staff shows that the bishop cares for us in the same way that a shepherd cares for his sheep. [báculo]

D

deacon a man who accepts God's call to serve the Church. Deacons help the bishop and priests in the work of the Church. [diácono]

disciple a person who is a follower of Jesus and tries to live as he did [discípulo]

diácono hombre que ha aceptado el llamado de Dios para servir a la Iglesia. Los diáconos ayudan al obispo y a los sacerdotes en la obra de la Iglesia. [deacon]

días de precepto los días en los que, sin ser domingo, celebramos las grandes cosas que Dios ha hecho por nosotros a través de Jesucristo. [Holy Days of Obligation]

Diez Mandamientos las diez reglas que Dios le dio a Moisés. Los Diez Mandamientos resumen la Ley de Dios, y nos muestran la manera de vivir como hijos suyos. [Ten Commandments]

Dios el Padre, el Hijo y el Espíritu Santo. Dios nos creó, nos salva y vive en nosotros. [God]

discípulo persona que sigue a Jesús e intenta vivir como él vivió. [disciple]

E

Emanuel nombre que significa "Dios con nosotros". Es uno de los nombres con los que nos referimos a Jesús. [Emmanuel]

escena de la Natividad una pintura o representación con figuras que muestran a Jesús, María y José en el establo, después del nacimiento de Jesús, como se describe en los Evangelios de san Mateo y san Lucas. [Nativity scene]

esperanza la confianza en que Dios siempre estará con nosotros. También confiamos en que nos hará felices en el tiempo presente y nos ayudará a vivir de tal modo que permanezcamos con él para siempre. [hope]

E

Easter the celebration of the bodily raising of Jesus Christ from the dead. Easter is the most important Christian feast. [Pascua de Resurrección]

Emmanuel a name that means "God with us." It is a name given to Jesus. [Emanuel]

eternal life living happily with God in Heaven after we die [vida eterna]

Eucharist the sacrament in which we give thanks to God for giving us Jesus Christ [Eucaristía]

Evangelists the four men credited with writing the Gospels of Matthew, Mark, Luke, and John [evangelistas]

examination of conscience thinking about what we have said or done that may have hurt our friendship with God or with others [examen de conciencia]

F

faith a gift of God. Faith helps us to believe in God and live as he wants us to live. [fe]

forgiveness the act of being kind to people who have hurt us but then have said that they are sorry. God always forgives us when we say that we are sorry. We forgive others the way God forgives us. [perdón]

Fruits of the Holy Spirit the ways in which we act because God is alive in us [frutos del Espíritu Santo]

Espíritu Santo la tercera persona de la Trinidad, que viene a nosotros al ser bautizados y que nos llena de la vida de Dios. [Holy Spirit]

Eucaristía el sacramento en el que le damos gracias a Dios por darnos a Jesucristo. [Eucharist]

evangelistas los cuatro hombres a los que se acredita la escritura de los Evangelios de Mateo, Marcos, Lucas y Juan. [Evangelists]

examen de conciencia pensar acerca de lo que hemos dicho o hecho que puede haber dañado nuestra amistad con Dios o con los demás. [examination of conscience]

F

fe un don de Dios. La fe nos ayuda a creer en Dios y a vivir como él quiere que vivamos. [faith]

frutos del Espíritu Santo la manera en que nos comportamos porque Dios vive en nosotros. [Fruits of the Holy Spirit]

G

genuflexión, hacer una mostrar respeto en la iglesia bajando una rodilla hasta tocar con ella el suelo, especialmente frente al sagrario, o tabernáculo. [genuflect]

gestos los movimientos que hacemos, tales como la Señal de la Cruz o el inclinarnos, para mostrar reverencia durante la oración. [gestures]

gracia el don de Dios que se nos da sin haber hecho nada para merecerlo. La gracia santificante nos llena de la vida de Dios y nos hace sus amigos. [grace]

G

genuflect to show respect in church by touching a knee to the ground, especially in front of the tabernacle [genuflexión, hacer una]

gestures the movements we make, such as the Sign of the Cross or bowing, to show our reverence during prayer [gestos]

God the Father, Son, and Holy Spirit. God created us, saves us, and lives in us. [Dios]

godparent a witness to Baptism. A godparent helps the baptized person to live as a follower of Jesus. [padrino/madrina de Bautismo]

grace the gift of God given to us without our earning it. Sanctifying grace fills us with God's life and makes us his friends. [gracia]

Great Commandment Jesus' important teaching that we are to love both God and other people [Mandamiento Mayor]

guardian angel the angel who has been appointed to help a person grow close to God [ángel de la guarda]

H

Heaven the life with God that is full of happiness and never ends [cielo]

holy showing the kind of life we live when we cooperate with the grace of God [santa]

H

Hijo de Dios el nombre dado a Jesús que revela su relación especial con Dios Padre. [Son of God]

homilía explicación de la Palabra de Dios. La homilía explica la Palabra de Dios que escuchamos durante las lecturas bíblicas en la iglesia. [Homily]

honrar mostrar a Dios o a una persona el debido respeto. [honor]

I

Iglesia el nombre dado a los seguidores de Cristo en todo el mundo. Cuando se escribe con una "i" minúscula, iglesia, se refiere al edificio en el que nos reunimos para rezar a Dios. [Church]

J

Jesús el Hijo de Dios, que nació de la Virgen María, murió, resucitó de entre los muertos, ascendió al cielo y nos salva para que podamos vivir con Dios para siempre. [Jesus]

José el padre adoptivo de Jesús, que estaba comprometido con María cuando el ángel le anunció que María tendría un hijo por medio del poder del Espíritu Santo. [Joseph]

L

Leccionario el libro que contiene las narraciones bíblicas leídas durante la misa. [*Lectionary for Mass*]

liturgia la oración pública de la Iglesia que celebra las cosas maravillosas que Dios ha hecho por nosotros en Jesucristo. [liturgy]

Holy Communion the reception of the Body and Blood of Christ during Holy Mass
[Sagrada Comunión]

Holy Days of Obligation those days other than Sundays on which we celebrate the great things God has done for us through Jesus Christ
[días de precepto]

Holy Family the family made up of Jesus; his mother, Mary; and his foster father, Joseph [Sagrada Familia]

Holy Spirit the third Person of the Trinity, who comes to us in Baptism and fills us with God's life
[Espíritu Santo]

holy water water that has been blessed. It is used to remind us of our Baptism. [agua bendita]

Holy Week the week that celebrates the events of Jesus' giving us the Eucharist, his suffering, Death, and Resurrection [Semana Santa]

Homily an explanation of God's Word. The Homily explains the Word of God that we hear in the Bible readings at church. [homilía]

honor giving to God or a person the respect that they are owed [honrar]

hope the trust that God will always be with us. We also trust that he will make us happy now and help us to live in a way that keeps us with him forever.
[esperanza]

Liturgia de la Eucaristía una parte fundamental de la misa, durante la que se consagran el pan y el vino, convirtiéndose en el Cuerpo y la Sangre de Jesucristo. Recibimos el Cuerpo y la Sangre de Jesucristo en la Sagrada Comunión. [Liturgy of the Eucharist]

Liturgia de la Palabra una parte fundamental de la misa, durante la que escuchamos la Palabra de Dios en la Biblia. [Liturgy of the Word]

Luz del Mundo una de las maneras en que nos referimos a Jesús. Nos recuerda que Jesús es la luz que nos conduce al Padre. [Light of the World]

M

Magníficat el cántico de alabanza de María a Dios. Le alaba por las grandes cosas que él ha hecho por ella, y por los planes que, a través de Jesús, tiene para nosotros. [Magnificat]

mandamiento regla que nos dice cómo vivir de acuerdo a como Dios quiere que vivamos. [commandment]

Mandamiento Mayor la importante enseñanza de Jesús de que hemos de amar tanto a Dios como a las demás personas. [Great Commandment]

María la madre de Jesús. Ella está "llena de gracia" porque Dios la escogió para ser la madre de Jesús. [Mary]

Mesías un título, semejante a Cristo, que significa "ungido con aceite". Mesías también significa "Salvador". [Messiah]

J

Jesus the Son of God, who was born of the Virgin Mary, died, was raised from the dead, ascended into Heaven, and saves us so that we can live with God forever [Jesús]

Joseph the foster father of Jesus, who was engaged to Mary when the angel announced that Mary would have a child through the power of the Holy Spirit [José]

K

Kingdom of God God's rule over us. We experience the Kingdom of God in part now. We will experience it fully in Heaven. [Reino de Dios]

L

Last Supper the last meal Jesus ate with his disciples on the night before he died. Every Mass is a remembrance of that last meal. [Última Cena]

Lectionary for Mass the book from which the stories from the Bible are read at Mass [*Leccionario*]

Lent six weeks during which we prepare to celebrate, with special prayers and actions, the rising of Jesus from the dead at Easter. Jesus rose from the dead to save us. [Cuaresma]

Light of the World a name that helps us see that Jesus is the light that leads us to the Father [Luz del Mundo]

Miércoles de Ceniza el primer día de la Cuaresma. Este día recibimos ceniza en nuestra frente para recordarnos que debemos mostrar pesar por nuestras decisiones que dañan nuestra amistad con Dios y con los demás. [Ash Wednesday]

milagro la sanación de una persona, o una ocasión en que Dios cambia la naturaleza. [miracle]

ministerio el servicio, o el trabajo, hecho a favor del prójimo. El ministerio lo ejercen los obispos, los sacerdotes y los diáconos en la celebración de los sacramentos. Todos los bautizados están llamados a ejercer diferentes tipos de ministerios, en la liturgia y en el servicio a las necesidades de los demás. [ministry]

misa la manera más importante de rezar a Dios. Durante la misa escuchamos la Palabra de Dios contenida en la Biblia y recibimos el Cuerpo y la Sangre de Cristo. [Mass]

N

Navidad el día en el que celebramos el nacimiento de Jesús (25 de diciembre). [Christmas]

Nuevo Testamento la historia de Jesús y de las primeras comunidades cristianas. [New Testament]

O

obedecer seguir las enseñanzas dadas por Dios o por alguien que tiene el derecho de guiarnos. [obey]

obispo un líder de la Iglesia. Los obispos nos enseñan lo que Dios espera de nosotros como los actuales seguidores de Jesús. [bishop]

liturgical year the calendar that tells us when to celebrate the feasts of Jesus' birth, life, Death, Resurrection, and Ascension [año litúrgico]

liturgy the public prayer of the Church that celebrates the wonderful things God has done for us in Jesus Christ [liturgia]

Liturgy of the Eucharist a main part of the Mass in which the bread and wine are consecrated and become the Body and Blood of Jesus Christ. We receive the Body and Blood of Jesus Christ in Holy Communion. [Liturgia de la Eucaristía]

Liturgy of the Word a main part of the Mass in which we listen to God's Word from the Bible. [Liturgia de la Palabra]

M

Magnificat Mary's song of praise to God. She praises him for the great things he has done for her and for his plans for us through Jesus. [*Magníficat*]

Mary the mother of Jesus. She is "full of grace" because God chose her to be Jesus' mother. [María]

Mass our most important means of praying to God. At Mass we listen to God's Word from the Bible and receive the Body and Blood of Christ. [misa]

Messiah a title, like *Christ*, that means "anointed with oil." *Messiah* also means "Savior." [Mesías]

ofensas actos que dañan a otros. [trespasses]

oración nuestro modo de hablar con Dios y el escucharle en nuestros corazones. [prayer]

P

padrino/madrina de Bautismo testigos del Bautismo. La madrina y el padrino ayudan a la persona bautizada a vivir como un seguidor de Jesús. [godparent]

Pan de Vida título de Jesús que nos dice que él es el pan, o alimento, que nutre a los fieles. [Bread of Life]

papa el obispo de Roma, sucesor de san Pedro y líder de la Iglesia Católica Romana. [pope]

parábola una de las historias sencillas que Jesús contó para mostrarnos lo que Dios quiere para el mundo. [parable]

parroquia comunidad de creyentes en Jesucristo que se reúnen regularmente para adorar juntos a Dios. [parish]

Pascua de Resurrección la celebración de la Resurrección de Jesucristo de entre los muertos. La Pascua es la fiesta cristiana más importante. [Easter]

paz, los que trabajan por la persona que nos enseña a ser respetuosos los unos con los otros, tanto al hablar como al actuar. [peacemaker]

ministry the service, or work, done for others. Ministry is done by bishops, priests, and deacons in the celebration of the sacraments. All those baptized are called to different kinds of ministry in the liturgy and in serving the needs of others. [ministerio]

miracle the healing of a person, or an occasion when nature is controlled because of God's action [milagro]

moral choice a choice to do what is right. We make moral choices because they help us grow closer to God. [decisión moral]

mortal sin a serious choice to turn away from God [pecado mortal]

N

Nativity scene a picture or crèche that shows Jesus, Mary, and Joseph in the stable after the birth of Jesus as described in the Gospels of Matthew and Luke [escena de la Natividad]

neighbor for a Christian, every other person, as each person is made in God's image [prójimo]

New Testament the story of Jesus and the early Church [Nuevo Testamento]

O

obey to follow the teachings given by God or by someone who has the right to direct us [obedecer]

pecado una decisión que tomamos que daña nuestra amistad con Dios y con otras personas. [sin]

pecado mortal elegir cometer una falta tan grave que nos va a apartar de Dios. [mortal sin]

pecado original el resultado del pecado de Adán y Eva. Ellos desobedecieron a Dios y optaron por seguir su propia voluntad en vez de la voluntad de Dios. [Original Sin]

pecado venial una decisión que tomamos y que perjudica nuestra relación con Dios o con otras personas. [venial sin]

penitencia lo que hacemos para demostrar que nos alejamos del pecado para poder vivir como Dios quiere que vivamos (*Véase* sacramento de la Penitencia y la Reconciliación). [penance]

Pentecostés 50 días después de que Jesús resucitara de entre los muertos. Ese día, el Espíritu Santo fue enviado desde el cielo y nació la Iglesia. [Pentecost]

perdón el acto de ser amables con las personas que nos han hecho daño pero que, después, han expresado su arrepentimiento. Dios siempre nos perdona cuando nos arrepentimos. Tal y como Dios nos perdona, nosotros perdonamos a los demás. [forgiveness]

petición solicitud que hacemos a Dios pidiéndole lo que necesitamos, ya que sabemos que él nos creó y que quiere darnos lo que nos hace falta. [petition]

Old Testament the story of God's plan for Salvation before the birth of Jesus [Antiguo Testamento]

Ordinary Time the longest liturgical season of the Church. It is divided into two periods—one after the Christmas season and one after Pentecost. [Tiempo Ordinario]

Original Sin the result of the sin of Adam and Eve. They disobeyed God and chose to follow their own will rather than God's will. [pecado original]

P

parable one of the simple stories that Jesus told to show us what God wants for the world [parábola]

parish a community of believers in Jesus Christ who meet regularly to worship God together [parroquia]

peacemaker a person who teaches us to be respectful in our words and actions toward one another [paz, los que trabajan por la]

penance what we do to show we are turning away from sin so that we can live as God wants us to live (*See* Sacrament of Penance and Reconciliation.) [penitencia]

Pentecost the 50th day after Jesus was raised from the dead. On this day the Holy Spirit was sent from Heaven, and the Church was born. [Pentecostés]

petition a request we make to God, asking for what we need since we know that he created us and wants to give us what we need [petición]

prójimo para un cristiano, cualquier otra persona, ya que cada persona está hecha a imagen de Dios. [neighbor]

R

reconciliación volver a ser amigos después de que una amistad se ha roto debido a algo que hemos hecho o dejado de hacer. En el sacramento de la Penitencia y la Reconciliación somos reconciliados con Dios, la Iglesia y los demás. [reconciliation]

Reino de Dios el reinado de Dios sobre nosotros. Ahora experimentamos el Reino de Dios parcialmente, pero lo vamos a experimentar en su totalidad en el cielo. [Kingdom of God]

Resurrección el hecho de que Jesús se levantó de entre los muertos al tercer día después de su muerte en la cruz. [Resurrection]

rito la forma especial seguida en la celebración de cada sacramento. [rite]

Rito de la Paz la parte de la misa en la que intercambiamos un saludo de paz los unos con los otros, mientras nos preparamos para recibir la Sagrada Comunión. [Sign of Peace]

S

sacerdote un hombre que acepta el llamado especial de Dios para servir a la Iglesia. Los sacerdotes guían a la Iglesia y son sus líderes en la celebración de los sacramentos. [priest]

pope the bishop of Rome, successor of Saint Peter, and leader of the Roman Catholic Church [papa]

praise our telling of the happiness we feel simply because God is so good [alabanza]

prayer our talking to God and listening to him in our hearts [oración]

priest a man who accepts God's special call to serve the Church. Priests guide the Church and lead it in the celebration of the sacraments. [sacerdote]

R

reconciliation making friends again after a friendship has been broken by some action or lack of action. In the Sacrament of Penance and Reconciliation, we are reconciled with God, the Church, and others. [reconciliación]

Resurrection the bodily raising of Jesus Christ from the dead on the third day after he died on the cross [Resurrección]

rite the special form followed in celebrating each sacrament [rito]

S

sacrament the way in which God enters our life. Through simple objects such as water, oil, and bread, Jesus continues to bless us. [sacramento]

sacramento el modo en el que Dios entra en nuestra vida. Mediante objetos sencillos como el agua, el aceite y el pan, Jesús continúa bendiciéndonos. [sacrament]

sacramento de la Penitencia y la Reconciliación el sacramento en el cual celebramos que Dios perdona nuestros pecados cuando le decimos al sacerdote que nos arrepentimos de haberlos cometido.
[Sacrament of Penance and Reconciliation]

sacramentos de la Iniciación los sacramentos que nos hacen miembros de la Iglesia de Dios. Estos sacramentos son: el Bautismo, la Confirmación y la Eucaristía.
[Sacraments of Initiation]

sacrificio de la misa conmemoración del sacrificio de Jesús en la cruz. Recordamos el sacrificio de Jesús cada vez que celebramos la misa. [Sacrifice of the Mass]

Sagrada Comunión recepción del Cuerpo y la Sangre de Cristo en la Santa Misa. [Holy Communion]

Sagrada Familia la familia compuesta por Jesús, su madre, María y su padre adoptivo, José. [Holy Family]

sagrario el lugar santo en el que se guarda el Santísimo Sacramento, de manera que la Sagrada Comunión pueda ser llevada a los enfermos. [tabernacle]

Salvador Jesús, el Hijo de Dios, que se hizo hombre para que volvamos a ser amigos de Dios. El nombre *Jesús* significa "Dios salva". [Savior]

Sacrament of Penance and Reconciliation the sacrament in which we celebrate God's forgiveness of our sins when we say to the priest that we are sorry for them [sacramento de la Penitencia y la Reconciliación]

Sacraments of Initiation the sacraments that make us members of God's Church. They are Baptism, Confirmation, and the Eucharist. [sacramentos de la Iniciación]

Sacrifice of the Mass remembering the sacrifice of Jesus on the cross. We remember Jesus' sacrifice every time we celebrate Mass. [sacrificio de la misa]

saint a holy person who has died as a true friend of God and now lives with God forever [santo]

Savior Jesus, the Son of God, who became man to make us friends with God again. *Jesus* means "God saves." [Salvador]

seal of confession refers to the fact that the priest must keep absolutely secret the sins that are confessed to him in the Sacrament of Penance and Reconciliation [sigilo sacramental]

Sign of Peace the part of the Mass in which we offer a gesture of peace to one another as we prepare to receive Holy Communion [Rito de la Paz]

sin a choice we make that hurts our friendships with God and with other people [pecado]

santa el tipo de vida que vivimos cuando cooperamos con la gracia de Dios. [holy]

Santísimo Sacramento la Eucaristía que ha sido consagrada por el sacerdote en la misa. Se guarda en el sagrario, o tabernáculo, para ser adorada y para llevarla a las personas que están enfermas. [Blessed Sacrament]

santo una persona santa que ha muerto como verdadera amiga de Dios y que vive ahora con Dios para siempre. [saint]

Semana Santa la semana en la que celebramos el que Jesús nos diera la Eucaristía, así como los acontecimientos de su padecimiento, muerte y Resurrección. [Holy Week]

sigilo sacramental se refiere al hecho de que el sacerdote tiene que mantener en absoluto secreto los pecados que le son confesados durante el sacramento de la Penitencia y la Reconciliación. [seal of confession]

T

Templo (judío) el Templo de Jerusalén, el lugar de oración más importante del pueblo judío. Los judíos creían que en este lugar podían estar más cerca de Dios. Jesús iba con frecuencia a rezar en el Templo. [Temple]

tentación un pensamiento o sentimiento que puede llevarnos a desobedecer a Dios. La tentación puede venir tanto de fuera de nosotros como de nuestro interior. [temptation]

Son of God the name given to Jesus that reveals his special relationship to God the Father [Hijo de Dios]

T

tabernacle the container in which the Blessed Sacrament is kept so that Holy Communion can be taken to those who are sick [sagrario]

Temple the Temple in Jerusalem, the most important place where the Jewish people came to pray. They believed that this was the place where they could be closest to God. Jesus often came to pray in the Temple. [Templo (judío)]

temptation a thought or feeling that can lead us to disobey God. Temptation can come either from outside us or inside us. [tentación]

Ten Commandments the ten rules that God gave to Moses. The Ten Commandments sum up God's law and show us how to live as his children. [Diez Mandamientos]

transubstantiation when the bread and wine become the Body and Blood of Jesus Christ [transubstanciación]

trespasses acts that harm others [ofensas]

Trinity, Holy the mystery of one God existing in three Persons: the Father, the Son, and the Holy Spirit [Trinidad, Santísima]

Tiempo Ordinario el tiempo litúrgico más largo en la Iglesia. Se divide en dos períodos: el primero desde después de la Navidad y hasta la Cuaresma y el segundo, desde Pentecostés hasta Adviento. [Ordinary Time]

transubstanciación momento en que el pan y el vino se convierten en el Cuerpo y la Sangre de Jesucristo. [transubstantiation]

Trinidad, Santísima el misterio de un Dios existiendo en tres personas: Dios Padre, Dios Hijo y Dios Espíritu Santo. [Trinity, Holy]

U

Última Cena la última comida que Jesús compartió con sus discípulos la noche anterior a su muerte. Cada misa es un recordatorio de esa última comida. [Last Supper]

V

vida eterna la vida feliz con Dios en el cielo después que morimos. [eternal life]

V

venial sin a choice we make that weakens our relationships with God or with other people [pecado venial]

Índice temático

A

absolución, 52, 163, 194
Acto de Contrición, 50, 54, 143, 163
Acto Penitencial, 153
Adán, 45
adorar, 43–47
Adviento, 18, 39–42, 63, 107, 108–11, 178, 194
agua bendita, 200
agua vivificante. *Véase* agua bendita
alabanza, 11, 12, 140, 205
Aleluya, 154, 193, 194
altar, 77, 159, 194
ambón, 73, 159, 194
amén, 158, 163, 194
amigos, relación con los, 161
amor
    a tu prójimo, 19
    Jesús nos llama a, 31–34
    mostrar al mundo, 167
Ana, santa, 22
ángel de la guarda, 199
ángel, 125, 195
año litúrgico, 107, 202
Antiguo Testamento, 94, 138, 204
arrepentimiento, expresar, 163
Ascensión, 158, 193
Avemaría, 142, 147, 148

B

báculo, 32, 197
banquete, la parábola del, 176
Bautismo, sacramento del, 11, 13, 20, 45, 65, 67, 68, 104, 149, 195
Bendición de la mesa antes de comer, 71, 144
Bendición de la mesa después de comer, 144
bendición, 157
Biblia, 195. *Véase también* Evangelios
    conocer y rezar nuestra fe, 138–39
    en la misa, 139
    libro de los Salmos, 37
Bienaventuranzas, 89, 95, 96, 97, 165, 189, 195
bondad, 99, 166, 189

Buen Pastor, el, 32, 35, 37, 177.
    Véase también Jesús; Dios
buen samaritano, 86–87, 88
buena obra, 163
buenas decisiones, 90, 91, 92, 96, 98–101, 166. *Véase también* conciencia

C

calendario
    litúrgico, 18, 106
    Tiempo Ordinario, 18
cáliz, 159
cantor, 159
castidad, 166
casulla, 21, 159, 173, 196
católica, 196
celebrante, 196
celebrar, 196
cielo, 103, 169, 199
cirio pascual, 159
Ciudad del Vaticano, 31
Colecta, 153
comunidad de creyentes, 98
comunidad, 167
Comunión de los Santos, 133
conciencia, 49, 91, 197. *Véase también* examen de conciencia; buena decisión
confesión, 48, 49, 53, 162–63, 197. *Véase también* examen de conciencia; Penitencia y la Reconciliación, sacramento de la
confiar en Dios, 11, 13, 171
Confirmación, sacramento de la, 65, 66, 150, 197
consagración, 7, 197
contrición, 48, 50, 54, 143, 163, 197ti
Cordero de Dios, 157
corona de Adviento, 110
creación, 168, 169, 197
    cuidar de la, 3
    dar gracias a Dios por la, 4
    el amor de Dios a través de, 4
Creador, 1–5, 11, 197. *Véase también* Dios
Credo de los Apóstoles, 145, 147
cristiano, 196

Index

A

absolution, 52, 163, 194
Act of Contrition, 50, 54, 143, 163
act of kindness, 163
Adam, 45
Advent, 18, 39–42, 63, 107, 108–11, 178, 194
Advent wreath, 110
All Saints Day, 107, 132–35, 158, 194
All Souls Day, 194
Alleluia, 154, 193, 194
alter, 77, 159, 194
alter server, 73, 159
ambo, 73, 159, 194
Amen, 158, 163, 194
angel, 125, 195
Anne, Saint, 22
Anointing of the Sick, Sacrament of the, 151
Apostles' Creed, 145, 147
Ascension, 158, 193
Ash Wednesday, 81, 83, 188, 195

B

Banquet, parable of the, 176
Baptism, Sacrament of the, 11, 13, 20, 45, 65, 67, 68, 104, 149, 195
Beatitudes, 89, 95, 96, 97, 165, 189, 195
Bibles, 195. *See also* Gospels
    Book of Psalms, 37
    knowing and praying our faith, 138–39
    in Mass, 139
bishop, 32, 195
Blessed Sacrament, the, 7, 195
Blessing, Final, 157
Body and Blood of Christ, 19, 66, 77, 150, 158, 187, 195
Bread of Life, 19, 20, 21, 196

C

calendar
    liturgical, 18, 106
    Ordinary Time, 18
cantor, 159
caring for creation, 3, 168
caring for others, 15, 27, 29, 33, 167
catholic, 196

Catholic Church. *See* Church, the
celebrant, 196
celebrate, 196
chalice, 159
chastity, 166
chasuble, 21, 159, 173, 196
children, Jesus loves, 116, 133
Christ, 196. *See also* Jesus
Christian, 196
Christmas, 18, 60–63, 107, 112–15, 183, 196
Church, the, 94, 196
    church, as building, 196
    Jesus loves, 69–72
    leaders of, 31, 184
    Mary as Mother of, 182
    members of, 185
    Ordinary Time, 18
Collect Prayer, 153
commandment, 23–24, 197. *See also*
        Commandments, Ten
    Great Commandment, 94, 165, 199
    new commandment, 165
Commandments, Ten, 23–24, 164, 190, 207
Communion of Saints, 133
Communion Rite, 157. *See also* The Order of Mass
community, 167
community of believers, 98
Concluding Rites, 157.
        See also The Order of Mass
confession, 48, 49, 53, 162–63, 197.
        See also examination of conscience;
        Penance and Reconciliation,
        Sacrament of
Confirmation, Sacrament of, 65, 66, 150, 197
conscience, 49, 91, 197. *See also* examination
        of conscience; good choice
consecration, 7, 197
contrition, 48, 50, 54, 143, 163, 197
creation, 168, 169, 197
        caring for, 3
        God's love through, 4
        thanking God for, 4
Creator, 1–5, 11, 197. *See also* God
crosier, 32, 197
crucifix, 147

Liturgia de la Eucaristía | oración

Reconocimientos

Las citas bíblicas han sido tomadas de *La Biblia de nuestro pueblo* © 2007 Pastoral Bible Foundation y © Ediciones Mensajero. Reservados todos los derechos.

"Acto de Contrición" y "*Salve, Regina*" han sido tomados del *Compendio del Catecismo de la Iglesia Católica* © 2005, Librería Editrice Vaticana. Reservados todos los derechos.

"Oración del penitente" ha sido tomada del *Ritual de la Penitencia* © 2003, Conferencia Episcopal Mexicana. Reservados todos los derechos.

"Bendición de la mesa antes de comer" y "Bendición de la mesa después de comer" han sido tomadas del *Catecismo Católico de los Estados Unidos para los Adultos* © 2006, Conferencia de Obispos Católicos de los Estados Unidos (USCCB, por sus siglas en inglés). Reservados todos los derechos.

"Credo de los Apóstoles" y "Credo Niceno" han sido tomados del *Misal Romano* © 2003, Conferencia Episcopal Mexicana. Reservados todos los derechos.

Loyola Press ha hecho todos los intentos posibles por localizar a los propietarios de los derechos de autor de las obras citadas en el presente trabajo a fin de hacer un reconocimiento pleno de la autoría de su trabajo. En caso de alguna omisión, Loyola Press se complacerá en reconocerlos apropiadamente en las ediciones futuras.

Acknowledgments

Excerpts from the *New American Bible with Revised New Testament and Psalms.* Copyright © 1991, 1986, 1970 Confraternity of Christian Doctrine, Inc., Washington, DC. Used with permission. All rights reserved. No part of the *New American Bible* may be reprinted without permission in writing from the copyright holder.

The English translation of the Prayer of the Penitent from *Rite of Penance* © 1974, International Commission on English in the Liturgy Corporation (ICEL); the English translation of the Prayer to the Holy Spirit and *Salve, Regina* from *A Book of Prayers* © 1982, ICEL; the English translation of Prayer Before Meals and Prayer After Meals from *Book of Blessings* © 1988; the English translation of the Apostles' Creed from *The Roman Missal* © 2010, ICEL. All rights reserved.

The English translation of the Act of Contrition from the *Compendium of the Catechism of the Catholic Church* © 2005, Libreria Editrice Vaticana. All rights reserved.

Loyola Press has made every effort to locate the copyright holders for the cited works used in this publication and to make full acknowledgment for their use. In the case of any omissions, the publisher will be pleased to make suitable acknowledgments in future editions.

Arte y fotografía

Las imágenes que aparecen dos veces en una plana de dos páginas figuran solamente una vez en la lista, indicando la página correspondiente. Las excepciones se indican con una (a) para las que aparecen en las páginas de la izquierda y con una (b) para las que aparecen en las de la derecha. Cuando hay varias imágenes en una página, estas se mencionan de izquierda a derecha y de arriba a abajo.

Las fotos e ilustraciones que no se han identificado son propiedad de Loyola Press o proceden de fuentes sin regalías incluyendo, pero no limitadas a, Art Resource, Alamy, Bridgeman, Corbis/Veer, Getty Images, iStockphoto, Jupiterimages, Media Bakery, PunchStock, Shutterstock, Thinkstock y Wikipedia Commons. Loyola Press ha hecho todos los intentos posibles para identificar a los propietarios de los derechos de autor de las obras reproducidas en este libro y reconocerlos debidamente. En caso de alguna omisión, Loyola Press se complacerá en reconocerlos apropiadamente en las ediciones futuras.

Art and Photography

Images appearing twice on a two-page spread are listed once by page number. Exceptions are indicated by an (a) for left page numbers and a (b) for right page numbers. When there are multiple images on a page, they are listed left to right, top to bottom.

Photos and illustrations not acknowledged are either owned by Loyola Press or from royalty-free sources including but not limited to Alamy, Corbis/Veer, Getty Images, Jupiterimages, PunchStock, Thinkstock, and Wikipedia Commons. Loyola Press has made every effort to locate the copyright holders for the cited works used in this publication and to make full acknowledgment for their use. In the case of any omissions, the publisher will be pleased to make suitable acknowledgments in future editions.

Introducción / *Front Matter*

i Rafael Lopez. **iii** Rafael Lopez. **iv**(a) Joy Allen. **iv** Hemera/Thinkstock. **iv**(a) Stockbyte/Thinkstock. **iv**(a) Julie Downing. **iv** iStockphoto.com/jusant. **iv**(b) Polka Dot Images/Thinkstock. **v**(a) iStockphoto/Thinkstock. **v**(a) Joy Allen. **v**(a) iStockphoto.com/JohnnyGreig. **v**(b) iStockphoto.com/agalma. **v**(b) iStockphoto.com/Kativ. **v**(b) iStockphoto/Thinkstock.

Unidad 1 / *Unit 1*

1 Ed Gazsi. **2** ©iStockphoto.com/jonya. **2** The Crosiers/Gene Plaisted, OSC. **3** ©iStockphoto.com/arlindo71. **3** Jupiterimages. **3** ©iStockphoto.com/spxChrome. **4** ©iStockphoto.com/Mike_Kiev. **4** ©iStockphoto.com/birdseye. **5** ©iStockphoto.com/Pixlmaker. **5** ©iStockphoto.com/monkeybusinessimages. **5** ©iStockphoto.com/askhamdesign. **6** Alloy/Veer. **6** ©iStockphoto.com/mammuth. **7** Phil Martin Photography. **7** AgnusImages.com. **8** Jupiterimages/Creatas/Thinkstock. **8** Alexander Hoffmann/Shutterstock.com. **9** Moonboard/Veer. **10** Ocean Photography/Veer. **10** ©iStockphoto.com/pakagallardo. **11** ©iStockphoto.com/Alina555. **11** AgnusImages.com. **12** ©iStockphoto.com/aldomurillo. **12** Zvonimir Atletic/Shutterstock.com. **13** Photos.com. **14** ©iStockphoto.com/monkeybusinessimages. **14** Peter Church. **15** allOver photography/Alamy. **15** ©iStockphoto.com/Yarinca. **15** ©iStockphoto.com/13spoon. **16** Ryan McVay/Lifesize/Thinkstock. **17** Warlling Studios. **17** Jupiterimages/Pixland/Thinkstock. **18** iStockphoto/Thinkstock. **18** Warlling Studios. **19** Greg Kuepfer. **19** Stockbyte/Thinkstock. **19** Polka Dot Images/Polka Dot/Thinkstock. **19** ©iStockphoto.com/aantozak. **19** iStockphoto/Thinkstock. **20** Jill Arena. **20** ©iStockphoto.com/jusant. **21** Jenny Acheson/Stockbyte/Thinkstock.

Unidad 2 / *Unit 2*

22 Ed Gazsi. **22** Jupiterimages/Brand X Pictures/Thinkstock. **23** Ron Chapple Stock/Alamy. **24** ©iStockphoto.com/Kativ. **25** Jupiterimages/Pixland/Thinkstock. **25** iStockphoto/Thinkstock. **26** Christina Balit. **26** ©iStockphoto.com/aldomurillo. **27** Corbis Photography/Veer. **27** Peter Church. **28** The Crosiers/Gene Plaisted, OSC. **28** ©iStockphoto.com/CraigRJD. **29** iStockphoto/Thinkstock. **29** ©iStockphoto.com/o-che. **29** ©iStockphoto.com/mstay. **30** Dorling Kindersley RF/Thinkstock. **30** iStockphoto/Thinkstock. **31** ©iStockphoto.com/Barcin. **31** www.picturesongold.com/Loyola Press Photography. **31** Ocean Photography/Veer. **32** Robert Harding Picture Library Ltd/Alamy. **32** Liam White/Alamy. **33** ©iStockphoto.com/juanestey. **33** Br. Steve Erspamer. **33** ©iStockphoto.com/mstay. **33** ©iStockphoto.com/isgaby. **33** ©iStockphoto.com/toddtaulman. **33** ©iStockphoto.com/Andy445. **34** Lebrecht Music and Arts Photo Library/Alamy. **34** ©iStockphoto.com/sjlocke. **35** ©iStockphoto.com/diephosi. **35** Peter Church. **35** Peter Church. **36** Custom Medical Stock Photo/Alamy. **36** ©iStockphoto.com/Neustockimages. **36** Phil Martin Photography. **37** Arctic Images/Alamy. **38** ©iStockphoto.com/BCWH. **38** ©iStockphoto.com/Liliboas. **39** iStockphoto/Thinkstock. **39** Thomas Northcut/Photodisc/Jupiterimages. **39** Alloy/Veer. **40** ©iStockphoto.com/jusant. **41** ©iStockphoto.com/grandaded. **41** ©iStockphoto.com/AYImages. **42** Kurt Adler. **42** Royalty free. **42** Stockbyte/Thinkstock.

Unidad 3 / *Unit 3*

43 Ed Gazsi. **43** ©iStockphoto.com/AnthiaCumming. **44** Jupiterimages/Photos.com/Thinkstock. **44** ©iStockphoto.com/jabejon. **44** iStockphoto/Thinkstock. **45** Phil Martin Photography. **45** Julie Downing. **45** John Foxx/Stockbyte/Thinkstock. **45** Hemera/Thinkstock. **46** Fancy Photography/Veer. **46** Julie Downing. **47** Julie Downing. **47** ©iStockphoto.com/mm88. **47** Jupiterimages/Creatas/Thinkstock. **48** Ocean/Veer. **48** Warling Studios **48** Royalty free. **49** Royalty free. **49** ©iStockphoto.com/nicolesy. **49** ©iStockphoto.com/nicolesy. **49** ©iStockphoto.com/jusant. **50** iStockphoto/Thinkstock. **50** Jupiterimages/liquidlibrary/Thinkstock. **51** Creatas Images/Creatas/Thinkstock. **52** ©iStockphoto.com/LindaYolanda. **52** Warling Studios. **53** Phil Martin Photography. **54** RedChopsticks/Getty Images. **54** ©iStockphoto.com/ArtisticCaptures. **55** ©iStockphoto.com/aldomurillo. **55** iStockphoto/Thinkstock. **56** Hemera/Thinkstock. **56** Ultrashock/Shutterstock.com. **57** Peter Church. **58** Warling Studios. **58** The Crosiers/Gene Plaisted, OSC. **58** ©iStockphoto.com/blufox51. **59** Loyola Press Photography. **59** Comstock Images/Comstock/Thinkstock. **60** ©iStockphoto.com/lenta. **60** Hemera/Thinkstock. **60** ©iStockphoto.com/mmac72. **62** ©iStockphoto.com/MarkM73. **62** ©iStockphoto.com/craftvision. **63** Roger Cope/Alamy. **63** W. P. Wittman Limited.

Unidad 4 / *Unit 4*

64 Ed Gazsi. **65** ©iStockphoto.com/choja. **65** Art Directors & TRIP/Alamy. **65** W. P. Wittman Limited. **65** ©iStockphoto.com/h2o_color. **66** ©iStockphoto.com/agalma. **66** Brian Warling Studios. **66** ©iStockphoto.com/h2o_color. **67** OJO Images Photography/Veer. **68** W. P. Wittman Limited. **68** Jeff Greenberg/Alamy. **69** ©iStockphoto.com/Likhitha. **69** Joy Allen. **70** The Crosiers/Gene Plaisted, OSC. **70** W. P. Wittman Limited. **70** Warling Studios. **71** Jupiterimages/Polka Dot/Thinkstock. **72** ©iStockphoto.com/ArtisticCaptures. **72** Comstock Images/Cornstock/Thnkstock. **73** Jupiterimages/Pixland/Thinkstock. **74** SW Productions/Photodisc. **75** Jupiterimages/Polka Dot/Thinkstock. **76** W. P. Wittman Limited. **77** ©iStockphoto.com/kate_sept2004. **78** Royalty free. **79** ©iStockphoto.com/abalcazar. **80** Kascy Hund. **80** David Sacks/Lifesize/Thinkstock. **81** iStockphoto/Thinkstock. **81** W. P. Wittman Limited. **82** ©iStockphoto.com/ManoAfrica. **82** ©iStockphoto.com/ooyoo. **83** Kim Karpeles/Alamy. **83** ©iStockphoto.com/ooyoo. **84** ©iStockphoto.com/duckycards. **84** Jupiterimages/Brand X Pictures/Thinkstock.

Unidad 5 / *Unit 5*

85 Ed Gazsi. **85** Cultura Photography/Veer. **86** Peter Church. **87** Peter Church. **88** Ciaran Griffin/Stockbyte/Thinkstock. **88** ©iStockphoto.com/mitza. **89** ©iStockphoto.com/phillipspears. **90** Fancy Photography/Veer. **90** Ciaran Griffin/iStockbyte/Thinkstock. **91** ©iStockphoto.com/arekmalang. **92** iStockphoto/Thinkstock. **92** Jupiterimages/Photos.com/Thinkstock. **93** ©iStockphoto.com/ettone. **93** ©iStockphoto.com/Maica. **94** Somos Photography/Veer. **94** ©iStockphoto/Thinkstock. **95** ajaykampani/Thinkstock. **95** Peter Church. **96** iStockphoto/Thinkstock. **96** Ed Gazsi. **97** ©iStockphoto.com/RedBarnStudio. **98** BananaStock/Thinkstock. **98** Peter Church. **99** Stockbyte/Thinkstock. **99** iStockphoto/Thinkstock. **99** Warling Studios. **99** ©iStockphoto.com/h2o_color. **99** ©iStockphoto.com/tentan. **100** Jupiterimages/Goodshoot/Thinkstock. **100** ©iStockphoto.com/paperteacup. **101** ©iStockphoto.com/paulaphoto. **101** Jupiterimages/Polka Dot/Thinkstock. **102** ©iStockphoto.com/cobalt. **102** Hemera/Thinkstock. **102** ©iStockphoto.com/Kativ. **103** *Resurrection*, Raffaellino del Garbo/Galleria dell' Accademia, Florence, Italy/The Bridgeman Art Library International. **105** iStockphoto/Thinkstock. **105** Jupiterimages/Comstock/Thinkstock.

El año en nuestra Iglesia / *The Year in Our Church*

106 Julie Lonneman. **107** Zvonimir Atletic/Shutterstock.com. **107** stevanovic.igor/Shutterstock.com. **107** Hemera Technologies/AbleStock.com/Thinkstock. **108** Zvonimir Atletic/Shutterstock.com. **108** Warling Studios. **109** Warling Studios. **109** ©iStockphoto.com/Hogie. **109** Jupiterimages. **109** iStockphoto/Thinkstock. **110** Kristina Swarner. **110** iStockphoto/Thinkstock. **111** Blend Images/Alamy. **112** iStockphoto/Thinkstock. **112** Peter Church. **113** Peter Church. **113** ©iStockphoto.com/ULTRA_GENERIC. **114** Greg Kuepfer. **114** Jupiterimages/Comstock/Thinkstock. **115** Royalty free. **115** Hemera/Thinkstock. **116** Peter Church. **117** Peter Church. **118** Hemera/Thinkstock. **118** ©iStockphoto.com/bo1982. **118** ©iStockphoto.com/alptraum. **118** ©iStockphoto.com/bo1982. **118** ©iStockphoto.com/bbostjan. **118** Jupiterimages/Brand X Pictures/Thinkstock. **119** Warling Studios. **120** ©iStockphoto.com/Elenathewise. **120** Peter Church. **121** Peter Church. **123** Jupiterimages/Pixland/Thinkstock. **124** Blend Images/Alamy. **124** iStockphoto/Thinkstock. **124** ©iStockphoto.com/BCWH. **124** Jupiterimages. **125** Julie Downing. **126** Anna Leplar. **126** Hemera/Thinkstock. **126** ©iStockphoto.com/golovorez. **127** iStockphoto/Thinkstock. **128** AgnusImages.com. **128** Peter Church. **129** Peter Church. **130** Kraig Scarbinsky/Photodisc/Thinkstock. **130** ©iStockphoto.com/JohnnyGreig. **130** ©iStockphoto.com/PicturePartners. **130** ColonialArts.com. **130** ©iStockphoto.com/jane. **131** Stockbyte/Thinkstock. **132** Warling Studios. **132** Robert Young/Shutterstock.com. **133** AgnusImages.com. **133** Warling Studios. **134** Creatas Images/Creatas/Thinkstock. **134** Jupiterimages. **135** ©iStockphoto.com/Jbryson.